# Le Luthier

**Catalogage avant publication de Bibliothèque et Archives nationales du Québec et Bibliothèque et Archives Canada**

Williamson, Alain, 1958-
Le luthier : devenir l'instrument de la vie
Édition revue et augmentée.
Publié à l'origine dans la collection : Collection Sentiers d'éveil. 2000.
ISBN 978-2-89436-405-5
I. Titre.
PS8585.I563L87 2013 C843'.6 C2013-941368-5
PS9585.I563L87 2013

*Nous reconnaissons l'aide financière du gouvernement du Canada par l'entremise du Fonds du livre du Canada (FLC) pour nos activités d'édition.*

*Nous remercions la Société de développement des entreprises culturelles du Québec (SODEC) pour son appui à notre programme de publication.*

*Gouvernement du Québec – Programme de crédit d'impôt pour l'édition de livres – Gestion SODEC – www.sodec.gouv.qc.ca*

Infographie de la couverture et mise en pages : Marjorie Patry
Révision linguistique : Amélie Lapierre
Correction d'épreuves : Michèle Blais

Éditeur : Les Éditions Le Dauphin Blanc inc.
Complexe Lebourgneuf, bureau 125
825, boulevard Lebourgneuf
Québec (Québec) G2J 0B9 CANADA
Tél. : (418) 845-4045 Téléc. : (418) 845-1933
Courriel : info@dauphinblanc.com
Site Web : www.dauphinblanc.com

ISBN : 978-2-89436-405-5

Dépôt légal : 3e trimestre 2013
Bibliothèque nationale du Québec
Bibliothèque et Archives Canada



Imprimé au Canada

Alain Williamson

Auteur du best-seller *Le tableau de vie*

# *Le Luthier*

## Devenir l'instrument de la vie

Le Dauphin Blanc

**Du même auteur chez le même éditeur:**

Le tableau de vie, 2012

Manuel pratique du Tableau de vie, 2012

Le Carnet de vie, 2012

Le Calepin de David Marteens, 2013

*À mes deux anges colombiens,*
*Angélica et Anthony*

# Remerciements

À mes enfants, Angélica et Anthony, pour leur venue qui m'a mené jusqu'en Colombie.

À mon amoureuse, Marie-Chantal, pour son appui, ses encouragements et son amour.

À Marc pour ses conseils, son inspiration et son succès.

Aux lecteurs de mon livre, *Le tableau de vie*, qui m'ont encouragé, sans même le savoir, bien souvent, à retravailler et à rééditer ce livre.

Aux membres dévoués de mon équipe, Jenny, Josée, Marjorie, Michèle, Patrick, Pierre et Sonia, pour leur soutien et leur magnifique travail.

À chacun de vous, merci du fond du cœur.

# Note de l'auteur

J'ai écrit la première version du *Luthier* en 1996, lors d'un séjour d'un mois à Bogota, en Colombie, pour l'adoption de notre fille, Angélica. Ma conjointe et moi résidions dans une pension du quartier Usaquen, tout près de l'église Santa Barbara. J'avais déjà la trame de l'histoire en tête en arrivant à Bogota, mais j'ai trouvé en Colombie le décor et l'ambiance parfaits pour situer mon récit. Et le peuple colombien m'a tellement charmé qu'il allait de soi que mon personnage principal serait colombien.

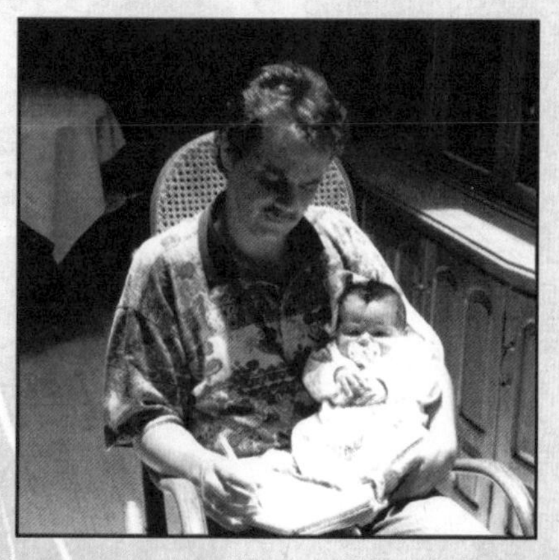

*En pleine écriture du Luthier avec Angélica sur les genoux*

Ce séjour en Colombie fut littéralement magique. Non seulement je goûtais pleinement la joie d'être père, mais entre les biberons et les promenades, j'avais tout mon temps pour écrire mon premier livre. Je me souviens encore de ces doux après-midi à bercer notre bébé tout en écrivant. Le soir où je mis le point final au manuscrit, soit un mois après notre arrivée, je confiai à ma femme que j'étais prêt à repartir – l'adoption en Colombie pouvait prendre jusqu'à huit semaines à l'époque – puisque mon livre était terminé. Comme par magie, le lendemain matin, nous obtenions le jugement de la cour colombienne qui nous permettait d'entreprendre les démarches pour sortir du pays. Quelques jours plus tard, nous étions de retour à la maison, à Québec.

Curieusement, et sans que je puisse l'expliquer, je laissai mon manuscrit « dormir » dans un tiroir pendant trois années. J'étais pourtant déjà éditeur à l'époque et il m'aurait été facile de le publier, mais j'investissais dans d'autres manuscrits plutôt que dans le mien.

Il aura fallu un second voyage en Colombie, en 1999, lors de l'adoption de notre fils, Anthony, pour redonner vie à mon manuscrit. Me retremper dans la même ambiance, goûter de nouveau la vie quotidienne des Colombiens, retrouver les sites que je décrivais dans mon histoire… tout cela me nourrit une nouvelle fois et me stimula à publier mon livre, ce que je me proposais de faire à mon retour au Canada, après être resté deux mois, cette fois, à Bogota.

À la suite de quelques petits ajustements à la version originale, mon manuscrit était fin prêt pour amorcer le processus d'édition. Pourtant… comme bien des auteurs, j'imagine, j'étais hésitant. Et si mon histoire n'était pas aussi intéressante que je le croyais ? Et si ce que j'apportais comme vision ne trouvait pas écho chez les lecteurs ? Pour me rassurer, je demandai à mon ami, Marc Fisher – l'auteur québécois le plus lu à travers le monde et dont j'admirais l'œuvre –, de lire mon manuscrit et de me dire sincèrement ce qu'il en pensait. Quelques semaines plus tard, Marc me faisait part de son appréciation de mon texte et m'encourageait à le publier. Il commençait sa lettre par cette remarque : « À la lecture de ce livre, j'ai tout de suite pensé à *L'Alchimiste* ! » L'ouvrage de Paulo Coelho connaissait alors un énorme succès, et j'étais moi-même un grand admirateur de cet auteur brésilien. Flatté par le rapprochement – je n'oserais jamais parler de comparaison, Paulo Coelho étant pour moi dans une classe à part – et encouragé par l'opinion de Marc, je publiais donc *Le Luthier* à l'automne 2000, précisément en septembre, mois où nous avions, ma femme et moi, tenu pour la première fois dans nos bras nos enfants, en 1996 et en 1999. Le clin d'œil était parfait.

En une décennie, *Le Luthier* connut de bonnes ventes, épuisant tous les exemplaires de la première édition, en plus de connaître une traduction en espagnol par une maison d'édition de Barcelone. Bien que mon livre ne fût pas un best-seller, j'en étais très fier. J'étais particulièrement touché par les nombreux témoignages des gens. D'ailleurs, aujourd'hui encore, il est fréquent que des gens viennent me voir, lors de salons du livre ou d'autres événements, pour me dire à quel point *Le Luthier* a eu un impact dans leur vie. Combien de lecteurs m'ont confié se servir encore de la leçon de la branche lancée à l'eau – que vous découvrirez dans les premiers chapitres.

Puis arriva le grand succès de mon livre *Le tableau de vie*, apprécié par des dizaines de milliers de lecteurs. Plusieurs d'entre eux cherchèrent d'autres livres que j'aurais écrits et découvrirent donc *Le Luthier*. Cependant, il ne restait que quelques exemplaires et il devint rapidement presqu'impossible à trouver. De nombreuses personnes me demandaient de le rééditer. Je trouvais l'idée séduisante, mais je tenais à retravailler quelque peu le contenu afin de présenter une version à la fois nouvelle et améliorée, bien que près du texte original.

C'est cette version que vous tenez actuellement entre vos mains. Elle est pour moi un lien, un pont entre ce que j'ai déjà écrit et ce que j'écrirai par la suite. Si le cadre de l'histoire se situe dans le monde spirituel, il n'en demeure pas moins que l'acceptation des changements et l'abandon à la grande force de Vie universelle, leçons que propose le livre, sont des thèmes rejoignant tout être humain, dans n'importe quel domaine de sa vie.

Je vous souhaite une bonne lecture.

# Chapitre 1

« Vous vouliez un miracle ?
Eh bien, vous allez être servi ! »

« *Buenos dias, padre.* »

Le moine referma la porte de la boutique, se retourna et salua à son tour le commerçant derrière le comptoir :

« *Buenos dias,* mon ami, *buenos dias.* »

Le commerçant entama la conversation tandis que le moine jetait un coup d'œil sur les nombreux instruments de musique suspendus au plafond.

« C'est une belle matinée, n'est-ce pas ?

– Très belle, en effet.

– Vous cherchez un instrument en particulier, *padre* ? »

Le moine poursuivait son observation des instruments.

« J'aurais aimé acheter une guitare, mais les prix semblent hors de ma portée !

– De quelle somme disposez-vous pour un instrument ? »

Le moine sourit, légèrement embarrassé.

« En fait, je n'ai que cinquante mille pesos[1] ! »

Le commerçant sourit à son tour, tout aussi embarrassé que le moine.

« Je crains, *padre*, que vous ne trouviez une guitare à ce prix dans toute la ville de Bogota. »

---

1. Un dollar canadien équivaut environ à mille huit cents pesos colombiens.

Le moine acquiesça, le regard toujours accroché aux instruments de musique.

« Vous avez sans doute raison… Pour tout vous dire, j'espérais une aubaine, mais je crois bien que c'est un miracle qu'il me faudrait ! »

Le moine se tourna vers le commerçant en concluant, résigné :

« Je devrai sans doute oublier cette idée d'acheter une guitare. »

Il remercia le commerçant et allait sortir de la boutique lorsque ce dernier l'interpella :

« Attendez, *padre* ! Je crois que le miracle n'est pas impossible ! »

Le moine se retourna et vit le commerçant qui lui souriait. Le moine, intrigué, s'approcha du comptoir.

« Vous connaissez Manuelo, le luthier ? demanda le commerçant.

– Non, répondit le moine.

– C'est le meilleur luthier de la région, je dirais même de la Colombie tout entière.

– Ah bon ! Il travaille pour vous ?

– Malheureusement, non. Oh, je lui ai fait plusieurs offres, mais il les a toutes refusées poliment. »

Le commerçant se rapprocha du moine et continua à voix basse, comme s'il lui dévoilait un secret :

« Voyez-vous, Manuelo est un être particulier. On ne lui connaît aucun domicile ni emploi régulier. Il voyage à travers la Colombie et même au-delà de nos frontières. Il fabrique des guitares, ici et là. Ses créations sont toutes d'une qualité exceptionnelle. Ce sont parmi les meilleures guitares de toute l'Amérique du Sud. Et je m'y connais, croyez-moi ! »

Le commerçant fit une pause et détourna son regard, comme s'il cherchait précisément un instrument parmi ceux suspendus. L'espace d'un instant, il avait repéré l'instrument en question, qu'il s'empressa de décrocher de son support. C'était une guitare remarquable, construite avec finesse et précision. D'une qualité indéniable ! D'ailleurs, le moine l'avait lui-même remarquée auparavant. Délicatement, le commerçant déposa la guitare sur le comptoir.

« Voyez cette merveille, *padre* ! Aucune imperfection ; une sonorité inoubliable ; une finition impeccable ! Une véritable œuvre d'art ! »

Le moine examina la guitare et en tira les mêmes conclusions que le commerçant : c'était un instrument de très grande qualité… sans doute l'œuvre d'un habile artisan.

Le commerçant reprit :

« Manuelo l'a fabriquée de ses mains et me l'a offerte en échange d'un gîte, le temps que dura la fabrication de la guitare. Imaginez un peu… une merveille comme celle-là, je peux obtenir au moins trois millions de pesos en échange ! Une aubaine, non ? »

Le moine approuva d'un signe de la tête puis regarda le commerçant :

« Mais où voulez-vous en venir ? En quoi ce luthier peut-il m'aider ? »

Le commerçant replaça la guitare sur son support, parmi les autres instruments, et revint en souriant vers le moine.

« *Padre*, c'est sans doute votre jour de chance. Manuelo est à Bogota en ce moment. Il est passé me saluer très tôt ce matin. Puis, il est reparti se procurer le matériel nécessaire à la fabrication d'une prochaine guitare… une commande qu'il doit exécuter bientôt, selon ce qu'il m'a brièvement raconté. Il doit repasser ici après le *lunch*. »

Le commerçant s'avança une fois de plus vers le moine.

« *Padre*, pourquoi ne pas lui proposer un marché comme celui qu'il m'a déjà offert ? Hébergez-le et, en échange, il vous fabrique une magnifique guitare ! »

L'idée était séduisante, mais le moine hésitait. Sans doute aurait-il une guitare de grande qualité sans avoir à débourser une somme qu'il n'avait pas de toute façon, mais la perspective d'héberger un inconnu au presbytère ne lui souriait guère. Toutes ces années de mission à Bogota lui avaient appris la méfiance et la prudence. La ville était considérée comme l'une des plus dangereuses au monde. À Bogota, on ne se barricadait pas derrière des fenêtres grillagées pour le plaisir. Le danger était réel. Le luthier en question semblait plutôt étrange. Était-il recommandable ?

Ressentant sans doute l'hésitation du moine, le commerçant reprit, sur un ton sympathique :

« Manuelo est un brave type. Un peu bizarre, je vous l'accorde, mais si talentueux ! Le miracle que vous souhaitiez est peut-être entre ses mains… »

Le moine se détendit quelque peu et abandonna en partie ses réticences. Il sourit et approuva :

« Après tout, pourquoi pas ? Je peux toujours lui proposer ce marché, on verra la suite. Je reviendrai vers treize heures pour rencontrer ce Manuelo, l'homme des miracles.

– Vous n'avez jamais si bien dit, *padre* ! »

Les deux hommes échangèrent un sourire. Le moine remercia le commerçant puis sortit.

Lorsque le moine revint à l'heure prévue, le commerçant terminait une transaction. Il finit en remerciant le client et en le saluant poliment, puis il se dirigea vers le moine tandis que le client quittait la boutique.

# *Chapitre 1*

« Manuelo est dans l'arrière-boutique. Je lui ai parlé de vous et il vous attend. Je vais le prévenir de votre arrivée. Ne bougez pas, *padre.* »

Le commerçant passa derrière le comptoir, tira un rideau de la main et pénétra dans une pièce tamisée. Le rideau se referma sans que le moine ne puisse jeter un coup d'œil à l'arrière-boutique. Après quelques instants, le rideau fut de nouveau écarté, laissant apparaître le commerçant suivi d'un homme souriant, d'aspect typiquement colombien : teint basané, cheveux et yeux noirs, taille moyenne, un peu rondelet, allure sympathique. Il était vêtu simplement d'un pantalon et d'un chemisier. Il paraissait jeune et mature à la fois, de sorte qu'il était difficile de lui attribuer un âge quelconque. Le moine ressentit immédiatement de la sympathie pour le luthier.

Le commerçant fit les présentations :

« *Padre*, voici "Manuelo-le-luthier"... Manuelo, voici le *padre*... euh... le *padre*... »

Il se retourna vers le moine :

« *Padre* comment déjà ? »

Le moine sourit, car il ne s'était pas encore présenté au commerçant. Il s'avança vers le luthier et lui tendit la main :

« Alexis, je suis le père Alexis. »

Le luthier serra chaleureusement la main que lui tendait le moine :

« *Encantado, padre* Alexis.

– Je suis, moi aussi, enchanté, Manuelo. Notre ami le commerçant m'a vanté vos talents de luthier, avec preuve à l'appui. »

Le moine désigna de la main la guitare fabriquée par Manuelo, celle que le commerçant lui avait montrée.

Le luthier sourit. Le moine jeta un bref regard vers le commerçant qui, d'un geste discret de la tête, l'encouragea à faire une proposition au luthier. Le moine respira profondément et reprit :

« Manuelo, notre ami m'a aussi parlé de votre manière singulière de vivre et de travailler ainsi que du marché que vous lui aviez proposé jadis… »

Le luthier écoutait en silence. À peine le moine avait-il fait une pause qu'il poursuivit :

« Je vous avoue que je souhaite beaucoup me procurer une guitare, mais en constatant le prix des instruments, je dois admettre que je ne puis m'en offrir une. Aussi vais-je vous proposer un marché semblable à celui conclu entre vous et le commerçant : vous me fabriquez une guitare et, en échange, je vous héberge au presbytère le temps que durera la fabrication de la guitare. Qu'en dites-vous ? »

Le moine avait débité sa demande comme une leçon apprise par cœur. Il était le premier surpris de s'entendre proposer un tel marché à un inconnu qu'on pouvait considérer comme un itinérant.

Le luthier lui sourit de nouveau :

« J'accepte avec joie. »

Le moine fut surpris, agréablement surpris.

« Vous acceptez ? Vraiment ?

– *Si* ! *Si* ! *Padre* ! Le temps de ramasser mon matériel et mes outils, et je vous suis. »

Le luthier retourna dans l'arrière-boutique, à peine le temps nécessaire pour que le commerçant avise le moine :

« J'ai oublié de vous dire, *padre*. Manuelo est un excellent luthier, mais il travaille selon votre rythme.

– Mon rythme ! ? Que voulez-vous dire ?

– Disons qu'il respecte votre capacité d'apprentissage.

– Ma capacité d'apprentissage ? Mais l'apprentissage de quoi ? Ne me dites pas qu'il cherchera à m'enseigner la fabrication d'une guitare tout de même !

– Vous verrez, *padre*, vous verrez. Détendez-vous et faites-lui confiance…

– Je commence déjà à regretter ce stupide marché… »

À peine le moine avait-il prononcé ces mots que le luthier réapparaissait dans la boutique, un sac en bandoulière, une mallette noire à la main et, sous le bras, des pièces de bois préalablement taillées pour une guitare.

« Je suis prêt, *padre*. »

Le moine le regarda puis lança un regard incertain au commerçant. Celui-ci lui fit un clin d'œil et lui murmura :

« C'est votre jour de chance, *padre* ! Vous vouliez un miracle ? Eh bien, vous allez être servi ! »

Le commerçant salua le moine et le luthier puis les laissa partir.

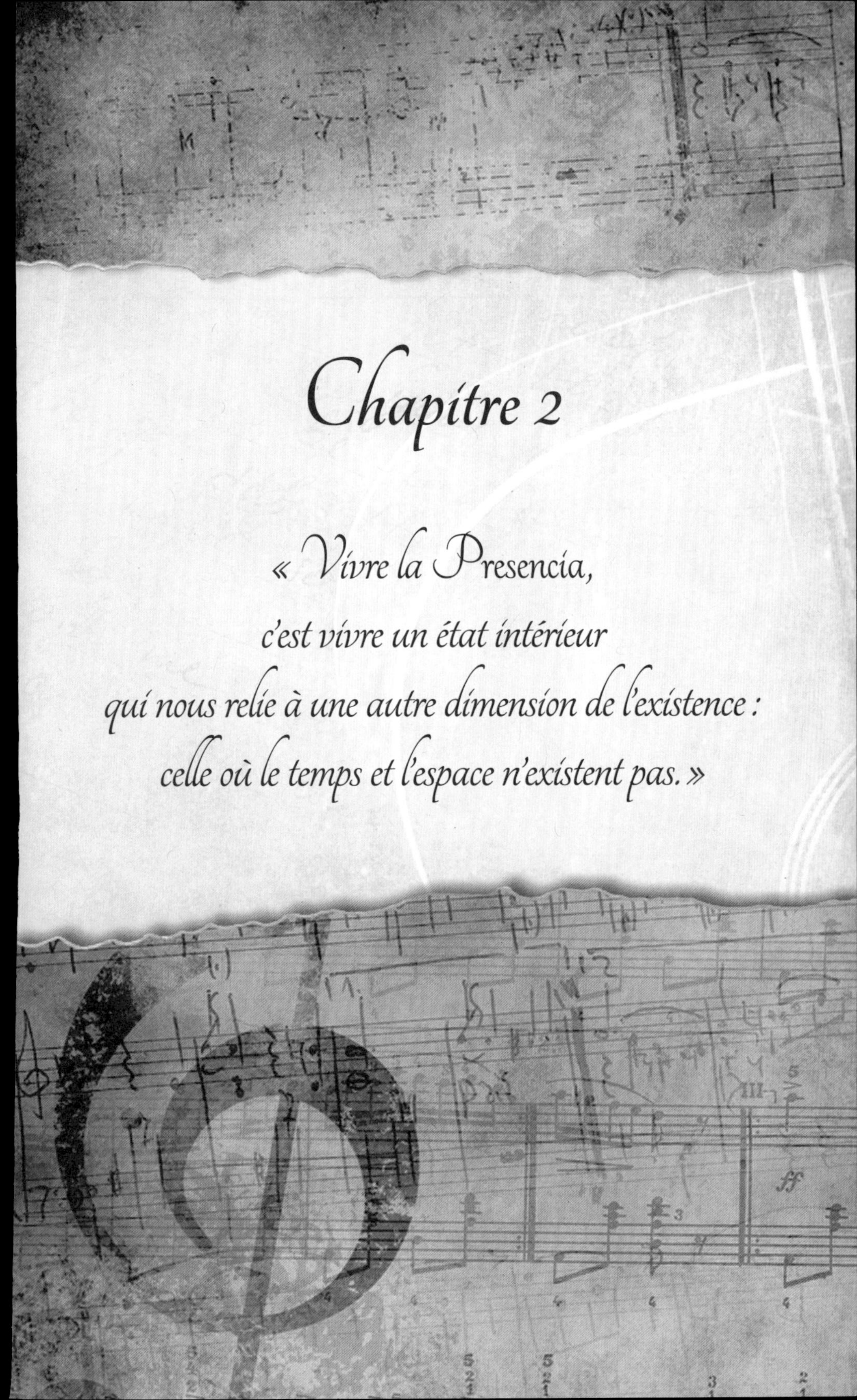

# Chapitre 2

*« Vivre la Presencia,*
*c'est vivre un état intérieur*
*qui nous relie à une autre dimension de l'existence :*
*celle où le temps et l'espace n'existent pas. »*

Le moine héla un taxi. Manuelo et lui s'y engouffrèrent.

« *Iglesia Santa Barbara, carrera seis, por favor* », dicta le moine au chauffeur.

Le taxi démarra et se faufila à travers la lourde circulation de Bogota.

« L'église Santa Barbara, n'est-ce pas dans le quartier Usaquen ? demanda le luthier.

– *Si*, répondit le moine. Vous semblez bien connaître Bogota !

– J'y suis venu souvent. Une fois, déjà, j'ai séjourné un peu à l'ouest d'Usaquen. J'aimais bien me promener dans ce quartier. La beauté de l'église Santa Barbara m'avait impressionné.

– Elle est très jolie, en effet. »

Le taxi se frayait un chemin parmi les bus bondés, les camions surchargés et les automobilistes pressés. Un interminable concert de klaxons se mêlait au bruit des moteurs.

Le moine aurait sans doute préféré le silence, mais le luthier semblait désireux d'entretenir la conversation.

« Vous n'êtes pas colombien, *padre* Alexis ?

– Non, je suis canadien.

– Ah, *canadiense* ! Et il y a longtemps que vous vivez en Colombie ?

– Tout près de vingt ans déjà. J'ai quitté le Canada au début de ma trentaine. J'avais accumulé de nombreuses années d'enseignement dans la communauté à laquelle j'appartiens. Puis, un bon jour, j'ai ressenti le besoin de partir, d'œuvrer ailleurs et autrement. »

Le luthier écoutait le moine avec attention. Ce dernier s'ouvrait peu à peu, rassuré par l'intérêt que le luthier lui démontrait.

« Et pourquoi avoir choisi la Colombie, *padre* ? »

Le moine a réfléchi quelques instants.

« Je crois que c'est la Colombie qui m'a choisi. Ma communauté offrait plusieurs possibilités de mission, mais je désirais m'isoler. Un ami de l'époque m'a alors confié qu'un prêtre, qu'il connaissait bien, accomplissait seul toutes les tâches reliées à sa paroisse, au nord-est de Bogota. Selon cet ami, le prêtre, plutôt âgé, désirait de l'aide depuis longtemps, mais le diocèse de Bogota n'avait personne pour l'aider. Ça m'a semblé une excellente opportunité. Puis, j'ai toujours voulu enseigner aux jeunes et les guider. La Colombie a beaucoup à offrir sur ce plan. Il y a tellement de jeunes dans les rues, que ce soit dans la ville ou dans les favelas. Alors, j'ai abouti à l'église Santa Barbara. »

Le luthier approuva d'un signe de la tête. Le taxi était immobilisé à une intersection dont les feux de circulation faisaient défaut. Le luthier profita de cette attente pour reprendre la conversation.

« Ainsi, vous désirez une guitare ? »

Le moine esquissa un sourire timide.

« Sans doute devez-vous trouver cette idée farfelue ?

– Non, pas du tout. Faire de la musique n'est jamais farfelu.

– Peut-être… mais à mon âge…

– L'âge est humain, la musique est éternelle ! Et puis, qui sait tout ce que l'on peut apprendre d'une guitare ! »

Le taxi venait tout juste de traverser l'intersection achalandée et reprenait sa route sur les pavés aux multiples trous. Le moine se laissa aller à la confidence :

# Chapitre 2

« Vous savez, je me débrouillais plutôt bien à la guitare lorsque j'étais un jeune séminariste. Oh, il y a longtemps, bien sûr, mais avec un peu de "pratique", je vais bien m'en sortir, vous verrez.

– Je n'en doute pas, *padre*. Et qu'est-ce qui motive ce retour à la musique ? »

Le visage du moine s'assombrit quelque peu. Il demeura songeur, le regard tourné vers l'extérieur où les maisons aux toits de tuiles ondulées défilaient devant ses yeux. Il répondit évasivement :

« Peut-être bien un peu d'ennui… »

Le luthier comprit qu'il venait d'aborder un sujet dont le moine ne voulait pas vraiment parler. Il respecta le silence du moine. Le taxi poursuivait sa route en évitant des piétons qui semblaient surgir de partout. Après quelques minutes, le moine sortit de ses réflexions et reprit la conversation.

« Dites-moi, Manuelo, selon ce que le commerçant me disait, vous aviez déjà une commande de guitare à réaliser avant que nous nous rencontrions, non ?

– *Si, padre.*

– Alors, je devrai donc attendre que vous respectiez cet engagement avant que vous puissiez fabriquer ma guitare…

– *No, padre, no* ! »

Le moine regarda le luthier d'un air interrogateur. Manuelo devina l'étonnement du moine et ne voulut pas le laisser perplexe plus longtemps.

« Cette guitare, c'est la vôtre, *padre* ! »

Loin d'éclairer le moine, cette précision du luthier le confondit encore plus.

« Mais… je ne comprends pas, Manuelo ! Comment saviez-vous que vous me fabriqueriez une guitare avant même que nous nous rencontrions pour la première fois ?

– Par la *Presencia,* répondit simplement le luthier dans un large sourire.

– La *Presencia*? Mais de quelle présence parlez-vous donc?

– *Divina Presencia*! La Présence divine, *padre*! »

Peu rassuré, le moine fixa le luthier comme pour l'inciter à dévoiler plus à fond sa pensée. Le luthier ne se fit pas prier pour poursuivre:

« Vivre la *Presencia,* c'est vivre un état intérieur qui nous relie à une autre dimension de l'existence: celle où le temps et l'espace n'existent pas. C'est l'éternel présent, au-delà des lois de la matière. En la *Presencia,* il n'y a plus de limitations. L'être qui parvient à vivre pleinement la *Presencia* harmonise le monde de la matière, qu'il habite par son corps, avec le monde de l'Esprit, qu'il habite par sa conscience. »

Le moine se cala légèrement dans le siège du véhicule sans détourner son regard où se lisaient l'étonnement, le scepticisme et la crainte. Le luthier plongea dans ce regard quelques secondes puis reprit:

« Mes propos vous effraient, n'est-ce pas? »

Le silence du moine confirma au luthier qu'il avait vu juste.

« Pourtant, poursuivit-il, je ne fais que parler du royaume de Dieu, mais en d'autres termes que ceux utilisés par le Christ, il y a longtemps. »

Le moine était troublé par les propos de cet inconnu qui osait parler du royaume d'une telle façon. On lui avait dit que le luthier était étrange, mais avait-on oublié de lui mentionner qu'il était aussi un illuminé? Ou un cinglé?

Toujours avec un calme rassurant, le luthier poursuivit:

« Lorsque nous nous relions entièrement à la *Presencia,* l'Esprit coule librement en nous, nous guide et nous dévoile des choses que la conscience ignore. C'est par la *Presencia* que j'ai su, intuitivement, que j'aurais bientôt à fabriquer une guitare. Je me suis donc préparé en me procurant le matériel nécessaire. »

La teneur plutôt ésotérique des propos du luthier bousculait le moine intérieurement. Devait-il sermonner ce Manuelo ? Il sentait que c'était là son devoir de moine. Cependant, en tant qu'être humain, une curiosité tenace lui commandait d'en savoir plus. Comme c'est souvent le cas, la curiosité l'emporta sur le devoir.

« Et vous saviez que c'était pour moi ? »

Le luthier laissa s'échapper un rire moqueur.

« Pour tout vous dire, *padre*, j'ignorais que ce serait pour vous spécifiquement. Sachez que j'aurais pu laisser croître mon intuition jusqu'à voir votre visage s'imprimer sur ma conscience éveillée. Alors, j'aurais su, mais… »

Le luthier rit de bon cœur, et du même souffle, il reprit :

« … mais je préférais me réserver la surprise. Les surprises de la vie gardent l'esprit jeune, ne trouvez-vous pas, *padre* ? »

Le moine n'eut pas le temps de répondre que déjà le taxi contournait le petit parc en face de l'église et s'immobilisa devant celle-ci. Le moine paya le conducteur tandis que le luthier récupérait son sac, sa mallette et ses pièces de bois.

« *Muchas gracias* », lança le conducteur au moine en glissant les pesos dans la poche de sa chemise et en redémarrant son véhicule.

Le moine poussa la lourde porte de bois de l'église et invita Manuelo à le précéder à l'intérieur. Lorsqu'ils eurent pénétré, le moine referma soigneusement la porte et fit signe au luthier de le suivre. Ils traversèrent l'église par l'allée de gauche, jusqu'à la sacristie, sans faire de bruit afin de ne pas troubler le recueillement silencieux de quelques fidèles dispersés dans l'église. Le moine fit un salut en passant devant la sacristie, alors que le luthier se contentait d'admirer la beauté de l'église. Les vieux bancs de bois, le plafond bas et voûté, les ornements d'inspiration espagnole, les vitraux colorés et la pénombre rafraîchissante dans laquelle baignait l'église créaient une atmosphère particulièrement agréable et propice au recueillement.

Le moine termina son salut d'un signe de la croix et tira sur la manche du luthier pour l'inciter à le suivre. Ils pénétrèrent dans le presbytère par une porte latérale. Ils empruntèrent un corridor qui les conduisit à un escalier.

« Au rez-de-chaussée, spécifia le moine, vous trouverez la cuisine et la salle à manger ainsi que la salle de séjour et la bibliothèque. Les chambres sont à l'étage. Venez, je vous indique la vôtre. »

Le luthier sourit poliment et suivit le moine jusqu'à une étroite chambre garnie d'un lit, d'un bureau, d'une chaise et d'une penderie. Une fenêtre donnait sur le jardin, à l'arrière de l'église. Elle offrait une vue splendide sur la cordillère des Andes, dont certaines montagnes s'élevaient à tout juste cent mètres de l'église.

« Voilà, c'est ici. La chambre est modeste, mais le lit est confortable. La salle de bain est au bout du couloir. J'espère que vous apprécierez votre séjour.

– Je n'en doute pas, *padre. Muchas gracias.* »

Le moine allait prendre congé, mais il crut bon de faire une recommandation au luthier :

« J'ai oublié de vous dire qu'il y a une autre personne qui vit ici en permanence, un jeune prêtre colombien que le diocèse a désigné pour remplacer le prêtre que j'étais venu assister. Ce dernier est décédé il y a deux mois. »

Le moine fit une légère pause, suffisante pour que le luthier ressente la peine du moine à la suite de ce décès. Le moine reprit :

« Manuelo, si vos propos m'ont intrigué, ils pourraient bien heurter mon jeune collègue. Cela pourrait vous attirer des ennuis... ainsi qu'à moi !

– Oh, je ne suis pas venu pour lui, mais pour vous, *padre*. »

Le moine fixa le luthier d'un air perplexe. Avait-il pris une sage décision en invitant cet homme au presbytère ? Il en doutait, mais puisqu'il était là, il aurait à composer avec cet être mystérieux. Et puis, la pensée d'avoir une guitare lui revint, comme une motivation. Finalement, il acquiesça :

« Bien. Le dîner sera servi à dix-huit heures. Nous nous retrouverons à ce moment.

– *Si, padre. Muchas gracias* ! »

Le moine salua le luthier et quitta la chambre, laissant Manuelo s'installer dans son gîte.

# Chapitre 3

*« Il n'y a pas de hasard dans la Presencia. Voilà pourquoi je suis là. »*

Au dîner, Manuelo rencontra le père Carlos, le jeune prêtre colombien, ainsi que Flore, une charmante et discrète voisine qui, tous les jours, s'acquittait bénévolement des tâches ménagères et de la cuisine au presbytère.

Tous mangèrent en silence. L'accueil du père Carlos, jeune homme quelque peu austère et sûrement dévoué envers la cause qu'il représentait, était froid et très mitigé. De toute évidence, il n'appréciait pas l'initiative du moine d'emmener un étranger au presbytère.

À la fin du repas, le père Carlos prit congé du groupe pour se consacrer à la prière et à l'adoration. Le moine, prétextant un travail à terminer, se retira dans sa chambre. Le luthier, quant à lui, remercia ses hôtes et se rendit dans le parc en face de l'église.

La nuit était calme et douce. Le quartier Usaquen était renommé pour sa tranquillité et sa sécurité. Le luthier s'assit sur un banc et contempla le ciel noir dans la quiétude de la solitude.

« Puis-je m'asseoir avec vous, Manuelo ? »

Le luthier se retourna et vit le moine s'approcher.

« *Si, padre, si* », répondit Manuelo avec un sourire accueillant.

Le moine s'assit aux côtés du luthier et inspira profondément en levant les yeux vers le ciel.

« Quel calme ! On se croirait loin de Bogota, ce soir. »

Le luthier approuva d'un signe de la tête.

« N'aviez-vous pas un travail à terminer, *padre* ?

– *Si*, mais je vous ai aperçu de la fenêtre de ma chambre. Je me suis dit que quelques instants de repos à l'extérieur ne nuiraient certainement pas à l'accomplissement de ce travail.

– Vous avez raison. »

Un silence s'installa, mais, visiblement, le moine voulait aborder un sujet en particulier. Il hésitait. Puis, il osa :

« Manuelo… les propos que vous m'avez tenus dans le taxi, cet après-midi, m'ont bouleversé. »

Le moine fit une pause, cherchant à saisir la réaction du luthier, mais ce dernier demeurait impassible et se contentait d'écouter.

« Je suis un homme d'Église, vous savez », reprit le moine.

Le luthier ne put s'empêcher de sourire.

« Votre tunique et votre croix au cou ne laissent aucun doute, *padre*.

– Ce que je veux dire, Manuelo, c'est qu'en tant qu'homme d'Église, je devrais condamner vos propos, vous sermonner, essayer de vous ramener à la doctrine de cette institution ! Je suis censé défendre et promouvoir les valeurs de l'Église !

– Et vous vous sentez coupable de ne pas l'avoir fait… »

Le moine baissa la tête en silence, comme s'il confessait une faute grave. Il savait très bien qu'il avait manqué à son devoir de religieux. Il en éprouvait un malaise intérieur.

« Manuelo…, reprit-il après un instant.

– *Si, padre* ?

– Manuelo… lorsque vous m'avez demandé pourquoi je voulais me remettre à la guitare… je vous ai menti ! »

Par un léger signe de la tête, le luthier démontra au moine qu'il avait déjà compris cela. Le moine se sentit encouragé à la confidence.

# Chapitre 3

« Oh, certes, il y a bien un peu d'ennui derrière cette idée de guitare, mais il y a plus, beaucoup plus. »

Le moine jeta un regard derrière lui, en direction de l'église, puis se retourna vers le luthier et reprit :

« Depuis l'arrivée du jeune prêtre, je ne suis plus le même. Son zèle et son application à suivre les règles de l'Église me dérangent. Son attitude exemplaire m'a obligé à examiner ma propre conduite. Ce que j'ai trouvé m'a troublé : des doutes, des remises en question, de la désobéissance et bien plus... J'ai dû me rendre à l'évidence : je ne suis plus un bon représentant de l'Église. Je ne suis plus digne de professer ma foi devant les paroissiens. Et encore moins de parler de Dieu aux enfants. Je me sens comme un imposteur. »

Le moine baissa la tête de nouveau. Sans la relever, il murmura avec tristesse :

« J'ignore pourquoi je vous confie tout cela, mais je ne sais plus où j'en suis ni pourquoi je vis. Je suis en pleine nuit intérieure, Manuelo. »

Le moine s'assécha les yeux du revers de sa manche.

« Pour tout vous dire, Manuelo, je crois que la guitare est une fuite devant les tourments qui me rongent. »

Le luthier mit sa main sur l'épaule du moine et adopta un ton plus intime :

« Ne crois pas cela, *padre* Alexis. La guitare n'est pas une fuite. Elle est l'instrument de la *Presencia* ! C'est par elle que Dieu te parlera et guérira ton cœur. »

Le moine releva la tête, étonné et incrédule.

« Vous… tu penses vraiment cela, Manuelo ?

– *Si, padre,* absolument. Si Dieu avait voulu simplement te distraire, l'argent nécessaire à l'achat d'une guitare te serait parvenu, d'une façon ou d'une autre. Et nous ne nous serions pas rencontrés.

Il n'y a pas de hasard dans la *Presencia*. Voilà pourquoi je suis là. Tu es appelé à vivre une transformation, *padre*. Tu es semblable à un fruit qui sera bientôt mûr. Et c'est par la fabrication d'une guitare que s'opérera cette transformation. »

Le moine ne répondit pas. Peut-être le luthier était-il encore plus cinglé qu'il le croyait ! Ou peut-être disait-il la vérité ! Le moine était ambivalent, mais au point où il en était, il accepta de lui faire confiance et d'attendre la suite des événements. Au fond, qu'avait-il à perdre ? Et puis, les paroles du luthier ne ravivaient-elles pas en lui l'espoir de voir la lumière au bout du tunnel ?

Le luthier se leva, s'étira et respira à fond l'air frais de la nuit colombienne.

« Demain, nous commencerons la fabrication de la guitare, dit-il.

– Nous ? »

Le luthier sourit amicalement.

« *Padre*, il y a longtemps que les guitares m'ont dévoilé les secrets de la *Presencia*. Je suis venu pour toi. *Buenas noches, padre*. »

Le luthier s'en retourna au presbytère. Le moine resta seul quelques instants, perdu dans ses pensées. Il n'avait pas osé parler de Maria au luthier. Comment avouer l'« inavouable » ? Comment dévoiler ce secret qu'il cachait et qui le torturait atrocement. Pourtant, l'amour, quel qu'il soit, ne devrait pas être aussi douloureux, mais lorsque l'on est moine, comment dire que l'on aime une femme ? Lui-même arrivait à peine à le concevoir et à se l'avouer. Non, il valait mieux ne pas avoir parlé de Maria au luthier. Les amours interdits font de belles histoires, mais ils se vivent dans la douleur et la désapprobation. Il vaut mieux parfois les taire.

Au bout d'un moment, tourmenté, le moine se leva et rentra à son tour.

# Chapitre 4

*« Nous sommes longs à abandonner*
*les résistances qui nous attirent vers le fond. »*

« *Buenos dias,* Manuelo, tu es déjà debout ? »

Le moine avait trouvé le luthier assis sur l'herbe, dans le jardin, derrière l'église.

« *Buenos dias, padre.*

– Je ne t'ai pas vu au petit-déjeuner !

– J'ai pris quelques fruits. Ça me satisfait pleinement. »

Le moine fit une moue en s'imaginant ne manger que des fruits au lever.

« J'aime bien me retirer dans le jour qui naît, reprit le luthier. C'est le moment de la journée où la *Presencia* se ressent le mieux. »

Le moine promena son regard sur les arbustes, les fleurs et les arbres du jardin et tenta de saisir cette présence si chère au luthier. En vain.

« Tu sais pourquoi tout semble si pur au petit matin ? demanda le luthier, qui ne laissa pas au moine le temps de répondre et enchaîna. C'est parce qu'il y a tous ces cerveaux humains qui se sont apaisés et endormis pendant des heures et qui ont cessé d'émettre toutes leurs pensées négatives, destructrices et meurtrières. La Vie a profité de la nuit pour se rafraîchir, se renouveler et vibrer comme elle le doit. Le matin la trouve donc un peu plus épurée et c'est alors que la *Presencia* a la voie libre pour s'exprimer. »

Le moine était bouche bée. Où le luthier allait-il puiser toutes ces idées étranges ?

Le luthier se leva sans se préoccuper de l'air ahuri du moine.

« Dis-moi, *padre*, n'y a-t-il pas un cours d'eau un peu plus à l'est ? »

Étonné par la question du luthier, le moine réfléchit un instant puis répondit par l'affirmative :

« Oui, la petite rivière del Arzobispo traverse le parc national…

– Bien ! Nous y allons !

– Quoi ? Maintenant ? »

Une fois de plus, le moine était déconcerté par l'attitude du luthier. Ce dernier, sans se laisser importuner par la surprise du moine, se dirigea vers une remise au fond du jardin. Le moine tenta de dissuader le luthier de son projet :

« Manuelo, tu n'y penses pas sérieusement ? C'est à plus de dix kilomètres d'ici ! En montagne en plus ! »

Le luthier revint vers le moine avec deux vieilles bicyclettes qu'il avait repérées plus tôt à l'arrière de la remise.

« Ah non ! protesta le moine. Pas ces vieilles bécanes ! Je ne suis pas monté à bicyclette depuis ma jeunesse. »

Le luthier ignora les gémissements du moine.

« Elles sont parfaites ! Allons-y !

– Mais je croyais que nous commencions à fabriquer ma guitare !

– C'est ce que nous faisons, *padre*. »

À contrecœur, le moine enfourcha le vélo que lui avait remis Manuelo, vacilla quelque peu, puis retrouva son équilibre et se lança à la suite du luthier qui, agile, avait déjà traversé la grille du jardin. Le moine parvint, mais non sans peine, à suivre le luthier au milieu de la circulation toujours aussi dense de Bogota. À un rythme soutenu, ils empruntèrent l'avenue Los Cerros, qui les mena directement au parc national.

# *Chapitre 4*

À l'entrée du parc, le luthier bifurqua sur sa droite et pénétra dans un boisé. Il immobilisa sa bicyclette, en descendit et la rangea contre un arbre. Bientôt, il fut rejoint par le moine qui l'imita en tentant de reprendre son souffle.

« Tu... tu es... en bonne forme physique... Manuelo! »

Le luthier sourit et permit au moine de se reposer quelques instants.

« Décidément, Manuelo... tu es un être... difficile à *suivre* dans tous les sens du mot! blagua le moine.

– Cesse de parler si tu veux retrouver ton souffle », lui répondit le luthier, tout de même amusé de la remarque du moine.

Après quelques minutes, la respiration du moine reprit son rythme naturel.

« Ça va mieux maintenant, Manuelo.

– Bien! Viens, descendons à la rivière, de ce côté », déclara le luthier en désignant une direction vers le sud.

– C'est un endroit dangereux ici, Manuelo. Il y a beaucoup de jeunes voyous qui détroussent les touristes dès que ces derniers s'arrêtent pour admirer le parc. Nous ne devrions pas traîner dans ces bois, il pourrait nous arriver...

– Cesse ton verbiage, *padre*. Si vraiment tu crois en Dieu, si tu vis en Dieu, comment peux-tu craindre quoi que ce soit? Je suis dans la *Presencia*, chaque minute, chaque seconde de ma vie. Je n'ai pas peur. Je suis dans l'amour. Et l'amour est l'inverse de la peur. Si tu vis dans l'amour total, la peur ne peut te pénétrer. Par conséquent, tu ne peux attirer à toi ce que tu crains. Allez, poursuivons jusqu'à la rivière. »

En peu de temps, ils furent sur les berges de la petite rivière del Arzobispo. Le luthier se pencha et ramassa une petite branche de bois.

« Regarde bien et retiens l'une des plus grandes leçons de la Vie », recommanda-t-il au moine.

D'un élan, il lança la branche qui retomba, toucha l'eau puis coula pendant quelques secondes. Bientôt, elle réapparut à la surface de l'eau et flotta, portée par le courant de la rivière.

Le luthier avait regardé la scène intensément, comme s'il la voyait pour la première fois. Il suivit des yeux la branche jusqu'à ce qu'elle soit hors de vue. Il se tourna vers le moine qui, intrigué, avait assisté à cette singulière démonstration sans trop en saisir le sens.

« Formidable, non ? rigola le luthier. La vie spirituelle se résume à cela !

– Quoi ? Une vulgaire branche à l'eau ? se moqua le moine.

– Tu ne sais pas encore lire le symbolisme de la nature, *padre*. Tu devras l'apprendre si tu veux saisir les messages que la *Presencia* t'envoie.

– La *Presencia* nous parle par la nature ? Ce serait plus simple de nous parler directement, non ?

– Tu n'y croirais tout simplement pas. »

Le moine soupira d'impatience et pressa le luthier :

« Bon, alors vas-y… explique-moi ! »

Sans s'offenser du ton pris par le moine, le luthier se lança dans son explication :

« La branche, c'est chacun de nous. La rivière, c'est le grand courant de Vie qui nourrit et soutient l'Univers entier. La *Presencia*, quoi ! L'art de vivre spirituellement consiste à se laisser porter par ce courant, par la *Presencia*, mais pour cela, il nous faut d'abord plonger en abandonnant toute résistance. Il nous semble alors que nous sombrons, que nous coulons comme la branche, mais si nous persistons à ne pas résister, bientôt, nous remontons à la surface, et là, le véritable miracle se produit : tout comme la branche, nous sommes portés, librement, sans aucun effort. Tout devient facile, et nous allons sur le véritable chemin que la *Presencia* souhaitait pour nous. »

Le luthier fit une pause. Il observa le moine afin de s'assurer qu'il avait bien suivi son explication. Le moine s'était adouci. Il était en pleine réflexion, ce qui confirma au luthier qu'il avait été écouté. Il reprit :

« Apprendre à être comme la branche est l'apprentissage de toute une vie. Et même alors, la plupart des gens n'y parviennent jamais. Nous sommes longs à abandonner les résistances qui nous attirent vers le fond. »

Le luthier invita le moine à reprendre leur marche à travers le boisé.

« L'abandon total à Dieu… réfléchit tout haut le moine, comme pour résumer la leçon.

– *Exacto, padre* ! répondit le luthier. Être comme la branche, c'est mettre toute sa confiance dans la *Presencia*. Nous essayons de tout contrôler, de tout diriger, alors que ce qui nous est demandé est l'abandon, la confiance. Tu aimes le théâtre ? demanda le luthier.

– Oui, un peu…

– Alors, tu comprends que le succès d'une pièce repose sur le fait que les acteurs jouent le rôle qu'on leur a assigné.

– Euh… oui, je crois…

– Imagine un peu si, au beau milieu de la pièce, un acteur décidait de n'en faire qu'à sa tête, qu'il se mettait à improviser, à vouloir réécrire son rôle. Ce serait désastreux, non ?

– Assurément !

– C'est pourtant ce que nous faisons quotidiennement. Notre vie est une pièce de théâtre. On nous a assigné le rôle principal. Si on joue ce rôle comme il se doit, la pièce – ou notre vie, en fait – est alors un succès. Mais voilà, on cherche constamment à réécrire ce rôle, croyant le connaître mieux que l'auteur lui-même. C'est pourtant plus simple que cela. Le rôle est parfait déjà, et on n'a qu'à le jouer et à y prendre plaisir. »

Le luthier poursuivit avec une recommandation :

« Médite sur ce que tu viens de voir et d'entendre. Être comme la branche te permettra de lâcher prise et ainsi de laisser agir la *Presencia* pour résoudre tes problèmes et tes préoccupations. D'ailleurs, c'est cette attitude que je te demande d'adopter tout au long de notre travail ensemble. Lorsque tu y manqueras, je n'aurai qu'à te rappeler la branche et tu sauras qu'il te faut lâcher prise. »

Par son silence, le moine signifiait au luthier qu'il acceptait de jouer « le jeu de la branche », sans très bien comprendre où cela le conduirait.

« Cela te conduira à reconnaître la *Presencia* et à t'y abandonner de plus en plus », lança le luthier comme s'il avait perçu les pensées du moine.

Décidément, le moine trouvait son compagnon bien étrange. La démonstration de la branche, l'explication qui suivit et puis cette *Presencia* dont il percevait difficilement le sens… tout cela tourbillonnait dans sa tête. Toutefois, il devait bien admettre que l'enseignement du luthier l'intéressait, l'apaisait même. De plus, la peur qui le tenaillait à son arrivée dans le parc semblait s'être évanouie. Il connaissait le luthier depuis peu, mais chaque instant en sa présence lui insufflait un calme et un apaisement hors de l'ordinaire, ce qu'il n'arrivait pas à s'expliquer d'ailleurs. Il le ressentait fortement toutefois.

Les deux hommes marchèrent côte à côte à travers la forêt, à flanc de montagne, pendant plusieurs minutes. La lumière du soleil pénétrait la forêt en quelques endroits, offrant un décor féerique aux deux promeneurs. Ils débouchèrent sur une petite clairière, au milieu de laquelle un arbre énorme s'imposait en maître des lieux. Au pied de l'arbre, des roches invitaient les promeneurs à une pause. Le luthier s'assit le premier et s'adossa à l'arbre. Le moine choisit une pierre face au luthier et s'y laissa choir.

« Avant de fabriquer ta guitare, *padre*, j'aimerais que tu songes un instant à quel point l'Univers aura participé à cette guitare.

– Que veux-tu dire, Manuelo ?

– Nous sommes un avec la nature, avec tout ce qui nous entoure. Une même Essence coule en nous.

– Je… je ne comprends pas…

– Regarde l'arbre derrière moi. Il a fallu la pluie pour le nourrir, le soleil pour le réchauffer, le sol pour lui permettre de prendre racine, le vent pour lui donner sa force. Note ses cicatrices et les marques laissées par le temps et les intempéries. Il a mis de longues années à grandir et à devenir ce qu'il est maintenant. Le bois que nous utiliserons pour fabriquer ta guitare provient d'un arbre aussi, un arbre que l'Univers aura fait pousser et que des hommes auront transformé par la suite. Tout cela pour te permettre d'avoir une guitare. Cette prise de conscience ne nous remplit-elle pas d'humilité et de gratitude ? »

Le moine suivait avec attention l'explication du luthier en jetant parfois de brefs regards à l'arbre immense. Le luthier poursuivit :

« Nos ancêtres ainsi que les Premières Nations d'Amérique du Nord possédaient cette conscience d'unité avec la nature. Des civilisations européennes et orientales sont aussi parvenues à cette compréhension de la Vie. Malheureusement, l'homme moderne a tout perdu de cet art de vivre. Pour lui, un arbre signifie peu de chose… sinon quelques pesos de profit. Il a perdu le sens du sacré, et le sens de la Vie du même coup.

– Manuelo… à t'écouter, je me demande si nous avons le droit d'utiliser ainsi la nature…

– En premier lieu, sache que l'arbre ne meurt pas vraiment. Il se transforme ! L'homme lui permet de connaître une vie de service. Sa forme originale est détruite, certes, mais son Essence vibre toujours dans sa nouvelle apparence, un peu à l'image des humains lorsqu'ils meurent. »

Le luthier fit une pause puis reprit :

« Si tu utilises l'arbre pour un besoin véritable ou un projet noble, tout en lui étant reconnaissant et en témoignant du respect envers son Essence qui subsiste toujours, alors tu ne commets aucun acte répréhensible envers la nature. L'abus et le gaspillage des ressources de la nature sont les véritables crimes. Tout est dans la conscience, vois-tu. Par exemple, si tu te sers de l'arbre pour en faire une guitare, tu participes à l'éternelle ronde de la transformation, symbole même de la Vie. Et tu deviens un créateur, à l'image même du Père ! »

Le moine accueillait bien les paroles du luthier, mais un sentiment de malaise persistait.

« Tout de même, Manuelo, je ressens de la culpabilité à utiliser le bois de l'arbre simplement pour satisfaire mon désir de guitare… »

Le luthier secoua la tête.

« *No, no, padre* ! Il ne faut pas vivre de la culpabilité. Elle ne t'attirera que des ennuis. La culpabilité, c'est l'enfer ; l'amour, c'est le paradis. La culpabilité n'est autre chose que ce que les hindous appellent le "karma". Elle t'obligera à compenser ce que tu as fait et que tu crois être mal. Elle t'enchaîne à la roue des conséquences. Tu dois ressentir un grand respect pour l'arbre et lui être reconnaissant, tu dois l'aimer, véritablement, mais pas lui offrir ta culpabilité.

– Mais comment faire ?

– Remets le tout dans la perspective de ton intention. Tu veux créer une guitare. Et qu'en feras-tu ?

– Eh bien, j'en jouerai, évidemment !

– *Exacto, padre* ! Tu joueras de ton instrument. Et par ta musique, tu feras danser les gens, ou tu les attendriras, ou même tu leur inspireras des louanges ou des chants d'allégresse. En un mot, tu les rapprocheras de Dieu ! C'est très noble comme intention, non ? »

Le moine rigola.

« Eh bien, vu de cette façon, je me sens moins coupable, il est vrai.

– Mais tu rigoles... Tu n'es pas convaincu de ce que je dis. »

Embarrassé, le moine se sentit obligé de s'expliquer :

« Disons que tu y vas un peu fort. Le bois de l'arbre qui, même transformé en guitare, rapprocherait les gens de Dieu... Ça me semble une idée un peu farfelue, Manuelo. »

Le luthier se pencha vers le moine et toucha du doigt la croix de bois que portait le moine.

« Et ça, c'est fait de quoi ? »

Le moine regarda son pendentif et ne put donner qu'une seule réponse :

« C'est fait de bois.

– ... de bois qui provient d'un arbre », compléta le luthier.

Le moine devinait où le luthier voulait en venir, mais il le laissa poursuivre.

« Et dis-moi, *padre*, cette croix de bois peut-elle aider les gens à rejoindre Dieu ou du moins à y penser ? »

Le moine se sentit coincé, mais accepta de bonne grâce de répondre :

« Je l'espère, Manuelo. »

Le luthier comprit que le moine avait saisi son message. Néanmoins, il précisa sa pensée afin de bien en imprégner l'esprit du moine.

« Derrière cette croix de bois qui fait agenouiller et prier les gens, et la guitare qui les fait chanter et danser, le même arbre se cache, transformé en instrument de service par et pour l'homme. Il n'y a pas de différence dans leur Essence. La croix que tu portes et la guitare dont tu joueras peuvent permettre toutes les deux d'élever l'âme, chacune à sa façon, car elles sont d'une seule et même Essence. Tout est dans l'intention… dans la conscience de l'intention ! »

Sur ces paroles, le luthier se leva et ajouta :

« Notre première journée de travail est terminée, *padre*.

– Déjà ? s'étonna le moine.

– Nous reprendrons la fabrication de la guitare lorsque tu auras vraiment compris cette Essence dont je viens de te parler. La compréhension de cette Essence te conduira à un éveil de conscience indispensable à la poursuite de notre travail… et de ta transformation ! »

Le moine était déconcerté.

« Mais aide-moi un peu ! Je ne suis pas comme toi, un habitué de toutes ces réflexions existentielles. Mets-moi au moins sur une piste !

– Si tu veux, répondit le luthier. C'est pourtant simple. Rappelle-toi ton catéchisme d'écolier…

– Quoi ?… Mon catéchisme d'écolier ?

– N'y avait-il pas une question qui dévoilait l'endroit où se trouvait Dieu ?

– … »

Le luthier s'était déjà engagé sur le chemin du retour. Le moine se leva et s'empressa de le suivre.

« Eh… Manuelo… attends-moi… Manuelo ? »

# Chapitre 5

« Chaque élément puise sa vie en Dieu.
Son souffle traverse chacune des cellules
de cet élément,
qu'il soit un arbre, un homme ou une fleur... »

Le luthier était demeuré silencieux tout au long du retour ainsi qu'à l'heure du *lunch*. Il s'éclipsa peu après sans que le moine puisse lui demander d'autres explications.

Le soleil réchauffait l'air frais de Bogota. Le moine en profita pour errer dans les rues des chics quartiers de Santa Barbara et de Santa Ana Or. Les luxueuses résidences aux fenêtres grillagées se succédaient au milieu des arbres aux fleurs jaunes et mauves. Les jours de beau temps, le moine aimait se promener dans ces nouveaux quartiers de gens riches. Ces quartiers n'étaient pas seulement parmi les plus beaux de Bogota, mais ils comptaient aussi parmi les plus sécuritaires.

Cet après-midi-là, le moine se baladait sans vraiment profiter du décor qui l'enchantait habituellement. Le souvenir de la matinée occupait entièrement son esprit.

Après une heure de marche, il s'arrêta à un petit parc, au monticule fleuri, pour se reposer. Il préféra l'herbe aux bancs de pierre. Il s'adossa contre le tronc d'un arbre et essaya de clarifier ses pensées. Il tâta sa croix de bois en pensant aux paroles du luthier :

« … Une seule et même Essence… pas de différence dans leur Essence… »

« Une seule et même Essence… » Le moine retournait cette phrase dans sa tête depuis le retour du parc national. Et puis en quoi de simples bouts de bois pouvaient-ils être reliés à Dieu ? Il avait toujours aimé la nature, mais jamais il n'avait songé à relier celle-ci à la spiritualité. Et puis cette mystérieuse référence au petit catéchisme de l'école… Le luthier a parlé d'une question sur le lieu où se trouvait Dieu… tout cela était si loin…

Puisque le luthier lui avait donné cette piste de réflexion, il se résolut à fouiller dans sa mémoire. Lentement, des souvenirs lui revenaient : des garçons aux cheveux courts, des costumes gris et marine, la longue tunique noire du frère qui enseignait, les murs de bois, la crainte de ne pas être à la hauteur. Des mots puis des phrases surgirent dans sa tête :

« Où est Dieu ? »

Était-ce bien la question à laquelle le luthier avait fait référence ? Il la fit résonner dans sa tête plusieurs fois, comme pour stimuler sa mémoire. La réponse lui revint comme un éclair :

« Dieu est partout ! »

Il avait répété tant et tant de fois cette formule. Il sourit en se remémorant ces petits bancs d'école sur lesquels il récitait, avec les autres gamins, des réponses apprises par cœur. Il se félicita d'avoir encore bonne mémoire, mais revint rapidement à sa préoccupation première. Qu'est-ce que le luthier voulait lui faire comprendre par ce souvenir ?

Il se rappela qu'il croyait, à l'époque, que la réponse « Dieu est partout » signifiait uniquement que Dieu le surveillait constamment, prêt à le punir à la moindre faute. Certes, depuis ce temps, il avait relégué dans l'oubli cette croyance limitative. Alors, que fallait-il comprendre de cette leçon du catéchisme ?

L'effort qu'il déployait mentalement pour saisir le sens de cette question, et surtout de la réponse, lui fit prendre conscience qu'il avait appris, mais non compris, cette leçon et bien d'autres.

« Pourtant, pensa-t-il, ce doit être simple à comprendre, car l'enseignement de Manuelo, jusqu'ici, est empreint de simplicité et de bon sens. »

# Chapitre 5

Il promena son regard tout autour de lui. Si Dieu était partout, comme le disait la réponse, alors il devait être dans tout ce qui l'entourait et dans tout ce que ses yeux percevaient : les oiseaux dans le ciel… les enfants qui jouaient au loin… le sol qui le supportait… l'arbre auquel il s'adossait… L'ARBRE !… LE BOIS QU'ON EN TIRE !

Il comprit soudainement que le même principe de Vie animait tout ce qu'il voyait. Les formes différaient, mais l'Essence demeurait la même. Tout ce qui s'offrait à ses yeux n'était que manifestation de Dieu. Chaque chose, chaque élément de la nature, chaque être… Tout était une expression de Dieu. L'être humain vivait comme s'il était la seule espèce en connexion avec Dieu, comme s'il avait le monopole de Dieu, mais l'humain n'était qu'un élément parmi tant d'autres de la nature.

Mais oui ! C'était sans doute ce que le luthier voulait lui faire saisir. Dieu était partout, autant dans l'être humain que dans l'arbre derrière lui. Tout est donc divin ! Voilà le lien entre le bois de la croix, ou celui de la guitare, et Dieu ! Et maintenant, il **contemplait** ce qui l'entourait.

Il promena de nouveau son regard autour de lui. Tout ce qu'il percevait lui semblait maintenant différent. Pourtant, rien n'avait changé. Seule sa perception s'était modifiée. Il s'était éveillé à une grande vérité : Dieu est partie intégrante de tout, absolument tout !

« Une seule et même Essence ! pensa-t-il à haute voix. Tout provient d'une seule et même Essence !

– Et tout vit par cette Essence ! »

Quelqu'un derrière lui avait complété sa réflexion. Le moine se retourna en se redressant.

« Manuelo !

– *Buenas tardes, padre* ! Je suis heureux de voir que tu saisis l'Essence unique de toutes choses.

– Manuelo… comment as-tu su que j'étais ici ? »

Le luthier ne put s'empêcher de rire tout en s'assoyant auprès du moine.

« Aucun miracle, *padre*. Je revenais simplement vers l'église lorsque je t'ai aperçu. »

Le moine rit à son tour. Puis, il revint à ses réflexions et en fit part au luthier.

« Je crois que j'ai saisi, Manuelo… Dieu est l'Essence de tout ce qui m'entoure. Dieu est en tout.

– Dis plutôt que tout est en Dieu. Nous croyons généralement que Dieu est en nous, mais cette conception, sans être tout à fait erronée, ne fait qu'accentuer le sentiment inconscient de séparation que nous éprouvons envers Dieu. Il est plus juste de dire que tout est en Dieu. Chaque élément puise sa vie en Dieu. Son souffle traverse chacune des cellules de cet élément, qu'il soit un arbre, un homme ou une fleur… »

Le luthier caressa du doigt une fleur minuscule au pied de l'arbre majestueux.

« L'Essence unique, ou la *Presencia*, est la sève nourrissante de tout ce qui existe : de l'air que tu respires à la pierre que tu crois inanimée. Chaque atome de l'Univers est inondé de l'amour divin. Tout est donc l'expression de Dieu. Et tout est donc parfait et en unité. Nous sommes unis à tout ce qui compose notre Univers parce que nous sommes l'expression, sous différentes formes, d'une seule et même Essence. »

Le luthier s'arrêta, ferma les yeux et prit une profonde respiration. Puis, il compléta sa réflexion :

« Ne t'imagine plus Dieu comme étant un personnage quelconque. Trop de gens le font encore. Il n'est pas cela, il est infiniment plus. Si tu as besoin de lui donner une forme ou si tu y tiens, alors regarde simplement autour de toi. Toutes les formes possibles sont l'image de Dieu. Tout ce que ton regard croise est Dieu qui exprime son énergie de création à travers mille et une formes.

– Je fais une profonde prise de conscience, reprit le moine. Une simple phrase du catéchisme me conduit à de grandes révélations. Qui l'aurait cru ?

– C'est une phrase simple mais si importante. Le clergé de l'époque n'avait pas eu tort d'en faire l'une des premières observations du catéchisme, car c'est la première prise de conscience essentielle que doit faire l'être humain pour s'engager sur la voie de la *Presencia*.

– Dommage qu'elle ait été répétée sans être expliquée pendant toutes ces années. »

Le luthier tapota amicalement l'épaule du moine.

« Hier n'existe que dans l'illusion de ton esprit, *padre*. Il n'y a qu'aujourd'hui qui est réel. Et aujourd'hui, tu as fait une découverte importante : tout vit et se nourrit d'une seule et même Essence. Et puisque cette Essence est Dieu, alors tout est sacré, et tu dois t'efforcer de considérer ainsi chaque chose, chaque élément de l'Univers. Là, et seulement là, tu vivras un profond respect pour tout ce qui t'entoure, tout ce que tu utilises et même tout ce que tu manges ! »

Le luthier se leva et poursuivit :

« Emplis-toi de cette conscience jusqu'à ce qu'elle devienne naturelle à ton esprit. Ainsi, tu développeras de plus en plus le sentiment d'union à la *Presencia*. »

Le moine se leva à son tour.

« Je ne suis pas certain de tout saisir, Manuelo. Et encore moins d'arriver à une telle conscience…

– *Padre* ?

– Oui, Manuelo ?

– Tu te souviens de la branche qui tombe à l'eau ? »

Les deux rirent de bon cœur et rentrèrent au presbytère.

« En passant, Manuelo, où étais-tu passé cet après-midi ?

– J'ai pris soin de certaines semences… »

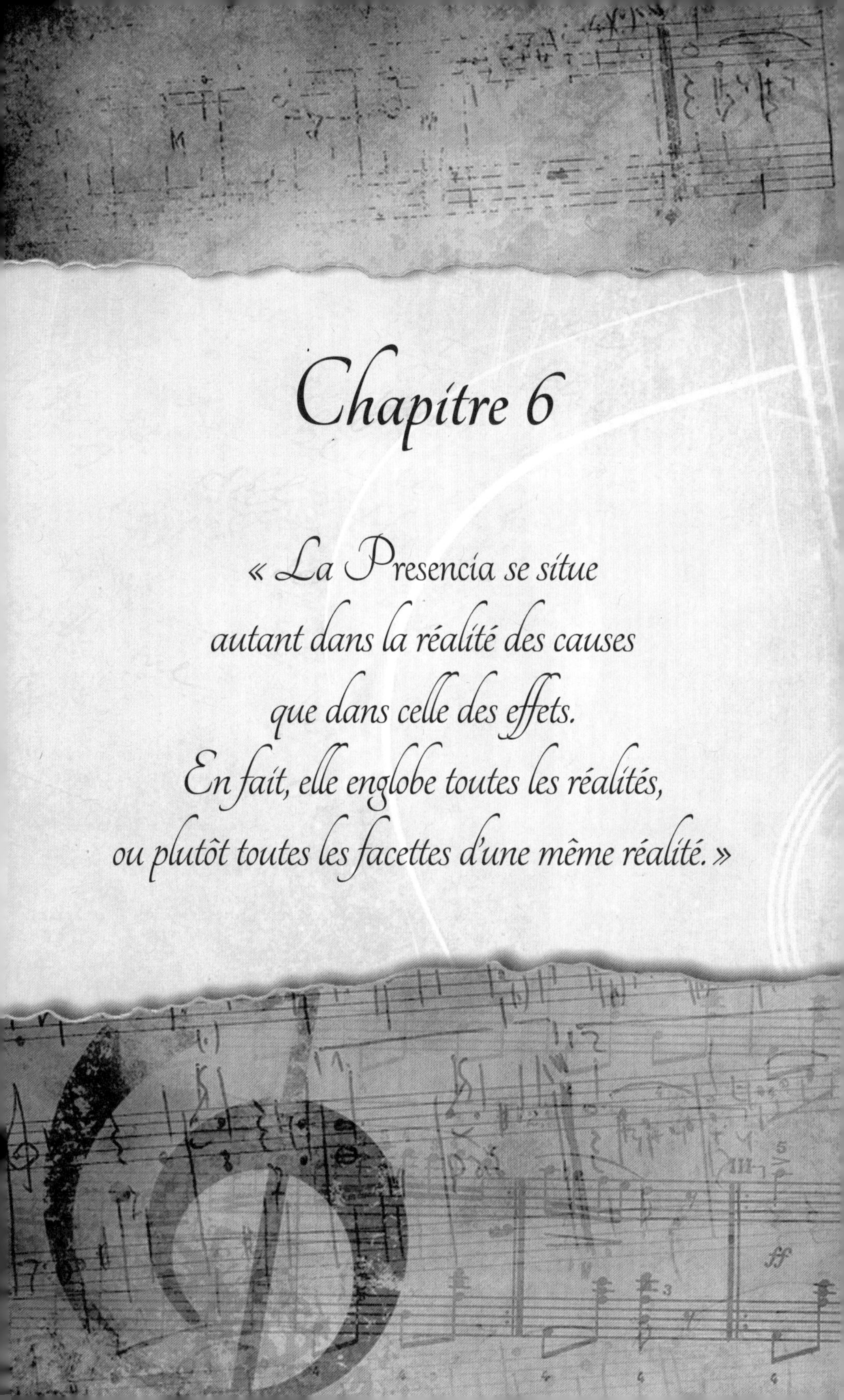

# Chapitre 6

*« La Presencia se situe*
*autant dans la réalité des causes*
*que dans celle des effets.*
*En fait, elle englobe toutes les réalités,*
*ou plutôt toutes les facettes d'une même réalité. »*

À son réveil, le moine se hâta de terminer sa toilette et de se vêtir tout en récitant quelques prières quotidiennes. Il descendit à la cuisine où Flore préparait un copieux petit-déjeuner.

« *Buenos dias, padre*. Votre petit-déjeuner sera servi dans quelques minutes.

– C'est gentil, Flore, mais je n'en ai pas le temps », répondit le moine en ramassant deux fruits au passage.

Il se rendit au jardin, certain d'y trouver le luthier.

« Ah, Manuelo… *Buenos dias*, mon ami !

– *Buenos dias, padre*. »

Le luthier sourit en jetant un coup d'œil aux fruits que le moine tenait dans ses mains.

« Tu te contentes de fruits pour le petit-déjeuner, *padre* ? »

À son tour, le moine regarda les fruits. Il était lui-même étonné de les avoir préférés au traditionnel *œuf-rôties*.

« Bah, fit-il dans un haussement d'épaules, ça ne me fera pas de mal de manger quelques fruits. »

Il mordit dans l'un des fruits en regardant autour de lui. Le luthier avait monté un atelier provisoire dans le jardin. Une petite table, deux bancs de bois, des outils et des pièces de bois déjà taillées composaient cet atelier de fortune.

Le moine constata avec satisfaction que le luthier s'était enfin mis au travail.

« Ah, *fantastico*, Manuelo ! Nous commençons enfin à fabriquer la guitare !

– La création de la guitare est commencée depuis l'instant où tu as décidé d'en avoir une », rectifia le luthier.

Le moine parut amusé de la précision du luthier.

« C'est une belle image, Manuelo, mais entre nous, tu sais bien que c'est la première fois que nous travaillons concrètement sur la guitare… »

Le luthier prit un air sérieux.

« Ce n'est pas une image. C'est une réalité que les humains ont cessé de considérer depuis trop longtemps déjà. »

Il continuait de travailler sur une pièce de bois tandis qu'il parlait.

« Il te faudra apprendre à voir au-delà des choses physiques et concrètes. La matière est la dernière étape de la manifestation de la *Presencia*. Elle n'est que l'effet. Si donc tu ne parviens qu'à considérer la matière, tu vis uniquement dans le monde des effets et ignores sans cesse les causes. Et cela te rend esclave de la matière. Tu n'es alors qu'une épave dérivant d'un effet à un autre. L'humanité vit actuellement de cette façon plutôt restrictive. Et pourtant… termina le luthier en hochant la tête.

– Et pourtant ? » insista le moine étonné.

Le luthier soupira en levant les yeux vers le moine toujours debout devant lui.

« Et pourtant, l'être humain a la faculté de rejoindre la réalité des causes, de les diriger et ainsi de contrôler les effets. Tu imagines à quel point le monde pourrait être différent ? »

Le luthier reprit son travail. Le moine s'assit à ses côtés.

« Que veux-tu dire, Manuelo ? Nous pourrions contrôler la matière ? »

# *Chapitre 6*

Le luthier regarda le moine avec amusement.

« *Si, padre, si* ! C'est le plus grand secret de tous les temps ! Et ce secret fut enseigné depuis toujours à qui voulait bien l'entendre. »

Le moine, incrédule, secoua la tête en riant.

« Allons, allons, Manuelo… ce ne sont que des histoires, non ?

– C'est justement ce que tout le monde croit ! » rétorqua le luthier.

Il prit une pièce de bois et la tendit au moine. Puis, il lui remit un bout de papier abrasif.

« Tiens, dit-il, cette pièce sera le manche de la guitare, mais elle est encore trop épaisse. Peux-tu l'amincir ?

– Bien sûr, répondit le moine tandis que le luthier se mit à sabler d'autres pièces de bois.

– Et pense donc un peu à la branche dans la rivière », ajouta le luthier.

Le moine ne répondit pas, mais intérieurement il fit ce que le luthier lui recommandait. Et tandis qu'il refaisait l'exercice de la branche, son esprit se détendit. Il comprit qu'il avait des réticences vis-à-vis des opinions du luthier. Il lui fallait lâcher prise et simplement accueillir ces idées avec souplesse. Il y parvenait difficilement. Son sens critique refusait de s'abandonner au courant de la rivière.

« Manuelo, comment peut-on contrôler la matière ? Comment est-ce possible ?

– Souviens-toi de l'Essence unique dont nous parlions hier. Tout, absolument tout provient de cette Essence, de ce grand courant de Vie, de la *Presencia*, quoi ! La *Presencia* se situe autant dans la réalité des causes que dans celle des effets. En fait, elle englobe toutes les réalités, ou plutôt toutes les facettes d'une même réalité. Si donc tu parviens à t'unir à la *Presencia*, il t'est possible d'agir dans toutes ces réalités, dont celle des causes.

– Si c'était si simple, nous y parviendrions tous, non ?

– C'est justement parce que c'est si simple que la plupart des humains passent à côté toute leur vie. En fait, ce qui est difficile, c'est de nous défaire de nos retenues, des croyances restrictives que nous nous transmettons, inconsciemment, de génération en génération. »

Le luthier déposa sa pièce de bois, en prit une autre et demanda au moine de lui trouver un couteau dans le fond de sa mallette.

« Celui-là fera l'affaire ? s'enquit le moine en lui tendant un couteau.

– Il sera très bien, *muchas gracias* », répondit le luthier en acceptant le couteau.

Le luthier se remit au travail, toujours aussi serein, comme s'il venait de parler de la pluie et du beau temps. Le moine reprit lui aussi son travail, mais son esprit trottait toujours sur les chemins tortueux de l'incrédulité.

« Comment peux-tu être aussi certain de ce que tu avances, Manuelo ?

– Oh, au début, lorsque je fus instruit de cette vérité, j'avais des réticences, comme toi, mais j'ai accepté d'y croire et d'expérimenter. Et un bon jour, j'y suis parvenu. »

Le moine sursauta.

« Quoi ? Tu y es parvenu ? Veux-tu dire que tu peux contrôler la matière ? Tu insinues que tu peux faire des miracles ?

– C'est à la portée de tous les humains. Les "miracles", comme tu les appelles, ne sont que l'action de la *Presencia*. Et si tu sais te relier à elle, rien n'est impossible. »

Le moine alterna du scepticisme à l'ironie.

« Mais alors, pourquoi est-on là à s'user les mains sur ces bouts de bois ? Claque des doigts et la guitare apparaîtra !

# Chapitre 6

– Et tu passerais à côté du plus grand apprentissage de ton existence. Je te l'ai dit plusieurs fois, *padre* : je suis venu pour toi ! Et puis, j'aime bien fabriquer des guitares, moi ! »

Déçu, le moine cherchait de toute évidence à provoquer le luthier, à lui soutirer une manifestation concrète, une preuve !

« Bon, alors crée quelque chose d'autre, n'importe quoi… Allez, démontre-moi ce que tu avances !

– Je n'ai rien à te prouver, *padre*. D'autres ont déjà démontré au monde entier ce que je t'enseigne, et ce, à toutes les époques de l'histoire humaine. Ce n'est pas mon rôle. Ce n'est pas important que **je** puisse le faire ; ce qui importe, c'est que **ça** puisse se faire… Et puis les miracles semblent n'être pour toi que des manifestations physiques. Souvent, les plus grands miracles ne sont pas matériels, mais les hommes ne les reconnaissent pas parce qu'ils vivent dans la réalité des effets seulement. Notre rencontre ne tient-elle pas du miracle, *padre* ? »

Le moine cachait mal sa déception et sa frustration. Il travaillait sa pièce de bois par des gestes brusques. Le luthier l'observa.

« N'y va pas trop fort tout de même ! Cette pièce de bois n'y est pour rien ! rigola le luthier. Et puis, pense au respect que tu dois à ce bois sacré. »

Le moine fit une moue, mais poursuivit son travail plus doucement. Le luthier lui précisa la meilleure façon de travailler sa pièce pour obtenir un bon résultat. Manuelo observa encore le moine un moment.

« Je sais que tu ne me crois pas. À tes yeux, je ne suis qu'un simple luthier itinérant. Mais ce soir, quelqu'un en qui tu as mis toute ta confiance te confirmera mes paroles.

– De qui parles-tu ? Que signifient ces mystères encore ? » demanda le moine.

Il leva les yeux vers le luthier qui s'était remis debout et secouait ses vêtements afin d'enlever les nombreux petits copeaux de bois tombés de la pièce qu'il travaillait.

« Nous en reparlerons ce soir, répondit le luthier.

– Ce soir ? Mais pourquoi ce soir ? La journée débute à peine ! Nous arrêtons déjà ?

– Moi, j'arrête. Toi, tu continues à sabler ta pièce.

– Quoi ? Toute la journée ?

– Oh, prends le temps qu'il te faut, *padre* ! »

Le luthier retourna à l'intérieur. Exaspéré, le moine donnait libre cours à sa frustration.

« C'est ça… va-t'en ! Si je comprends bien, c'est moi qui la ferai, cette foutue guitare ! Et notre marché, tu y penses parfois ? Et puis, à quoi ça rime, ce sablage ? Et où vas-tu encore ? Tu dois t'occuper d'autres semences, hein ? Tu es luthier ou jardinier ? Eh ! Manuelo… ? »

Mais déjà, sans se retourner, le luthier avait disparu, laissant le moine seul dans le jardin.

Il travailla sur sa pièce de bois durant de longues heures, puis il rentra, se doucha et repartit vers un quartier pauvre de Bogota.

# Chapitre 7

## « Comment Dieu pourrait-il être contre l'amour ? »

« Qu'y a-t-il, *mi amor* ? »

Le moine garda le silence, les yeux rivés au plafond de la minuscule chambre de Maria, au cœur de la ville de Bogota. Se trouver nu dans un lit aux côtés de cette femme après lui avoir fait l'amour le laissait toujours dans un état pensif, torturé par la culpabilité, ravagé par la trahison qu'il croyait commettre envers l'Église. Il lui fallait de longues heures, parfois des jours avant de retrouver une certaine paix, se promettant chaque fois de mettre fin à cette histoire d'amour impossible. Mais le désir qu'il éprouvait pour Maria le ramenait toujours vers elle, et elle l'accueillait, comme s'il revenait simplement du boulot, comme elle accueillerait un mari *normal*.

« Tu le sais bien… avait laissé échapper le moine dans un soupir d'impuissance.

– Non, il y a autre chose, je le sens, tu n'es pas comme d'habitude. »

Le moine se retourna vers la femme étendue près de lui. Maria était la plus belle personne qu'il ait vue de toute sa vie. Sa longue chevelure noire découpait un visage délicat orné de grands yeux couleur café qui s'harmonisaient avec le teint cuivré de sa peau, si typique aux Colombiens. Que ce soit dans la pénombre d'une chambre aux rideaux tirés, comme à ce moment précis, ou dans l'éclat du soleil du midi, en pleine nature, rien ne trahissait son âge, pas même une ride au coin de l'œil. La quarantaine lui allait à merveille — on la croyait d'ailleurs dans la trentaine. Elle n'avait pourtant pas eu une vie facile, comme plusieurs femmes colombiennes, mais le temps et les épreuves avaient semblé glisser sur elle sans la marquer. Bien sûr, la beauté de Maria et les courbes sensuelles de son corps ne laissaient pas le moine indifférent, au contraire, mais il aimait cet être dans son entièreté. Il admirait son esprit vif et sage, l'immensité de son cœur, la beauté de son âme.

« Comment arrives-tu à me deviner comme tu le fais ?

– Je suis peut-être une sorcière… », répondit Maria en pouffant de rire.

Le moine rit lui aussi et se détendit quelque peu.

« Je sens ce que tu vis, je ressens tes bouillonnements intérieurs parce que je t'aime », reprit Maria plus sérieusement.

Le moine la regardait avec tendresse.

« Mais comment fais-tu ?

– Pour t'aimer ? s'amusa Maria. Ça, je n'y peux rien !

– Non, comment arrives-tu à capter ce que je ressens ?

– Je ne fais rien de particulier. Je t'aime, et parce que je t'aime, je suis en communion avec toi, je suis unie à toi. Ce que tu vis, je le perçois. Et en ce moment, il y a autre chose que ta culpabilité. »

Le moine se tourna sur le dos en soupirant.

« Tu as raison, il y a autre chose. Tu te souviens de cet homme que j'ai accueilli dernièrement au presbytère ?

– Le luthier ? Tu m'en as parlé brièvement au téléphone, pas plus… Il te cause du souci ?

– C'est ça, Manuelo, le "luthier", comme on l'appelle. Il ne me fait pas de souci, mais il me conduit sur des chemins que je ne voulais pas emprunter.

– Alors, pourquoi le suis-tu sur ces chemins ?

– Parce qu'ils m'intriguent, ces chemins ! Ils m'intriguent et me font du bien intérieurement. En même temps, j'ai peur. J'ai l'impression que tout me glisse sous les pieds… ma vocation, mon serment à l'Église, ma chasteté… il semble que tous mes points de repère s'effritent. Je ne reconnais plus ma vie, je ne vois plus le chemin devant moi. »

Le moine s'arrêta de parler un instant, le temps d'essuyer une larme ou deux qui coulaient sur ses joues. Maria le regardait avec compassion et tendresse. Elle savait que leur amour était source d'angoisse chez son Alexis. Si elle avait pu, elle aussi, éviter cet amour, elle l'aurait fait volontiers, mais c'était plus fort qu'elle, tout comme lui. Jamais elle n'avait connu un homme aussi bon, doux et attentionné, même s'il ne se permettait pas d'être aussi présent pour elle qu'elle l'aurait souhaité. Elle acceptait son sort en espérant qu'un jour, leur amour puisse être vécu en plein clarté, car c'était le plus bel amour qu'elle avait connu, et même vu de toute sa vie. Lorsqu'elle avait fait la connaissance du moine, lors d'une activité de pastorale pour les jeunes défavorisés, elle avait senti un tourbillon en elle. Si les corps ne s'étaient pas tout de suite reconnus, les âmes avaient immédiatement ressenti un lien intense entre elles, comme si elles se retrouvaient après des années, des siècles, des vies éloignées l'une de l'autre. Et la flamme était née, une flamme indescriptible et indestructible. Un grand amour avait explosé dans le cœur de l'un et l'autre. Depuis, elle accueillait son Alexis chaque fois qu'il pouvait venir la voir, secrètement.

« Je suis en changement, je le sens bien, reprit le moine. Et Manuelo est le catalyseur de ce changement. Je croyais que notre amour était la cause du chambardement intérieur que je vis, mais il n'en est rien. Au contraire, c'est parce que le changement avait commencé en moi que j'ai pu m'ouvrir, même maladroitement, à notre amour. C'est ce que je réalise avec le luthier. Si tu savais l'étrange langage qu'il tient. Il me parle de cause et d'effet, de miracle possible, de branche à l'eau, de la pièce de théâtre de notre vie et de semences dont il doit s'occuper. Je ne saisis pas tout ce qu'il cherche à me faire comprendre. Pourtant, je veux qu'il continue. C'est comme si je pressentais que tout allait se mettre en place. Je me sens appelé vers quelque chose, mais je ne sais quoi et j'ai terriblement peur. Où tout cela va-t-il me conduire ? Que va-t-il advenir de moi ? De nous ? »

Maria déposa sa tête sur la poitrine de son amoureux et caressa son épaule.

« Cesse de te martyriser ainsi. Fais taire un peu tes tourments. Tu vis une transformation, tu es dans un tournant de ta vie. Mais qui peut dire où cela te conduira ? Lorsque tout bouge, que tout vacille autour de toi, le mieux est de ne pas résister et de te concentrer à conserver l'équilibre. Ne retiens rien. Abandonne-toi. Si tu t'abandonnes à la transformation amorcée en toi, peut-être t'abandonneras-tu à notre amour aussi... »

Le moine se redressa brusquement, repoussant involontairement Maria sur le côté.

« Maria, tu sais bien que notre amour ne pourra jamais se vivre comme les autres unions. Je suis moine. Je suis un homme d'Église. Je n'ai pas le droit de t'aimer...

– Et qui dit ça ? Qui peut ainsi juger cet amour si beau et pur ?

– Mais c'est contre la volonté de Dieu... »

En disant ces mots, le moine se rappela les paroles du luthier et sa façon de voir Dieu. Le luthier avait commencé à modifier sa conception de Dieu, et c'est en disant cette aberration qu'il s'en était rendu compte.

« Comment Dieu pourrait-il être contre l'amour ? renchérit Maria. Dieu est amour, et l'amour est au-delà de toutes les conventions humaines et de toutes les lois ecclésiastiques. »

Le moine la regarda. Maria était plus grande que lui, elle était plus près de Dieu que lui, malgré tous ses serments, sa croix et sa soutane. Il le voyait bien. Elle avait raison. Et Manuelo le dirait aussi : « Comment Dieu pourrait-il être contre l'amour ? »

Il éclata en sanglots.

# Chapitre 7

« Tu as raison, Maria, tu as raison. Je le sais avec mon cœur, mais si tu savais tout le poids des interdits qui pèse sur moi… »

Tendrement, Maria prit son homme dans ses bras et le berça doucement en lui murmurant :

« Tout ira bien… tout ira bien… »

# Chapitre 8

*« Les humains sont encore,*
*du moins pour la majorité d'entre eux,*
*des enfants sur le plan spirituel. »*

Le moine rentra au presbytère tout juste à temps pour le dîner et il rejoignit le luthier et le jeune prêtre à la salle à manger. Le moine avait travaillé une bonne partie de la journée à amincir le manche de sa guitare, si bien que le papier abrasif lui avait irrité les doigts. Cependant, il était satisfait du résultat et il lui tardait de le montrer au luthier. Une heure ou deux passées auprès de Maria avaient agi comme un baume sur ses angoisses et ses interrogations. Il avait libéré un trop-plein d'émotions et de stress dans les bras de la femme qu'il aimait sans le dévoiler. Son esprit s'était quelque peu apaisé, sa souffrance intérieure, quelque peu engourdie. Il se sentait prêt à revoir le luthier et à échanger avec lui, mais il s'efforçait d'éviter le regard du père Carlos. Peut-être se faisait-il des idées, mais le jeune prêtre lui semblait hostile et méfiant.

Selon la tradition, le repas se prit en silence. À la fin du dîner, le luthier donna rendez-vous au moine, à vingt heures, à la bibliothèque.

Au moment où l'horloge sonna son huitième coup, le moine pénétra dans la bibliothèque, le manche de sa guitare à la main. Le luthier s'y trouvait déjà, bien calé dans l'un des fauteuils en osier, une Bible sur ses genoux.

« Manuelo ! Tu as vu ? s'exclama le moine en tendant le manche au luthier. J'en suis tellement satisfait ! »

Le luthier prit le manche, le retourna plusieurs fois en l'examinant minutieusement. Il approuva d'un signe de la tête.

« C'est un beau travail, *padre.* »

L'approbation du luthier fit jaillir le sourire du moine, qui tira un fauteuil pour s'asseoir face au luthier.

« À part ta satisfaction, qu'as-tu retiré de ton travail, *padre* ? »

Le moine réfléchit quelque peu, le temps de rassembler ses pensées.

« Lorsque tu m'as laissé seul, mon travail ne m'apportait rien. Ma frustration occupait toute la place. Puis, j'ai songé à l'exercice de la branche dans la rivière et je me suis détendu. J'ai décidé de laisser le courant porter pour moi tes paroles que je comprenais mal. Lentement, mes réticences sont tombées. Peu à peu, j'ai pris conscience du bois sur lequel je travaillais et de son Essence. Curieusement, je n'avais plus l'impression de travailler, mais plutôt d'accomplir un geste sacré. Pourtant, je ne faisais que sabler ! C'est curieux... j'avais un sentiment d'unité avec le bois !

– Bien, *padre,* tu as travaillé en conscience et avec respect. »

Le moine accepta le compliment du luthier avec un sourire mitigé. Si ce qu'il lui avait dit était vrai, il lui cachait toutefois sa visite amoureuse et chargée d'émotion à Maria. Voulant étouffer son malaise, il reprit :

« Graduellement, ma pensée est revenue vers tes paroles. En les reconsidérant dans un état de détente, j'ai constaté à quel point elles ébranlaient mes valeurs et mes croyances. Et mon attention se concentra sur ces croyances que l'on m'avait inculquées depuis mon enfance. Plus je sablais, plus mes croyances remontaient. C'est étrange, je n'y tenais plus vraiment, à ces croyances, du moins à certaines d'entre elles.

– Bravo, *padre* ! Tu es très doué ! L'exercice du sablage avait exactement pour but de te faire prendre conscience des schémas incrustés dans ton esprit. Plus tu amincissais la pièce de bois, plus tu enlevais des idées préconçues, des croyances comme tu dis. Tout en peaufinant le manche de ta guitare, tu as épuré ta pensée et tu n'as conservé que l'essentiel. Tu as bien travaillé, *padre*. »

Le luthier déposa le manche de bois sur une petite table à sa droite. Puis, il fixa le moine.

« Permets-moi maintenant de te faire la lecture de quelques passages des Évangiles », dit le luthier en ouvrant la Bible.

Le moine se sentit tout drôle à l'idée qu'on lui fasse la lecture de la Bible, tâche qui lui revenait habituellement. Que pouvait-il apprendre qu'il ne savait déjà ?! Il s'adossa bien à l'aise et écouta.

Le luthier amorça sa lecture :

« Tout ce que vous demanderez en priant, croyez que vous l'avez reçu et vous le verrez s'accomplir… »

Il fit une pause, le temps de choisir un autre passage.

« Je vous le dis, en vérité, si vous aviez la foi et que vous ne doutiez point, non seulement vous feriez ce qui a été fait au figuier, mais quand vous diriez à cette montagne : "Ôte-toi de là et jette-toi dans la mer", cela se ferait. Tout ce que vous demanderez avec foi dans la prière, vous le recevrez. »

Le luthier tourna de nouveau les pages.

« Cherchez d'abord le royaume de Dieu […], et toutes ces choses vous seront données […]. Tout est possible à celui qui croit. »

Le luthier chercha un autre passage et poursuivit :

« … mais le Père, qui est en union avec moi, fait ces choses lui-même… »

Enfin, il se rendit à un dernier passage et le lut au moine en insistant sur chacun des mots :

« Tout ce que j'ai fait, vous pouvez le faire aussi, et même de plus grandes choses encore. »

Le luthier se tut et referma la Bible. Il regardait le moine.

Ces passages de la Bible, le moine les avait lus et récités des dizaines, peut-être même des centaines de fois. Mais, ce soir-là, ils prenaient un sens nouveau. Ils semblaient s'unir aux paroles du luthier. Il ouvrait son cœur à une dimension des textes sacrés qu'il n'avait pas soupçonnée jusqu'ici.

« Ce n'est pas le simple luthier itinérant qui parle ainsi, *padre*. C'est le Christ, celui en qui tu as placé toute ta confiance », mentionna le luthier.

Il respecta le silence du moine quelques instants puis reprit :

« Ces paroles du Christ sont parmi les plus importantes de son ministère. Il nous dit explicitement que rien ne nous est impossible, *padre*, que la matière réagit à notre foi ! Et la foi, c'est l'union à la *Presencia*, l'escalier qui nous conduit dans le royaume. Avoir la foi, c'est nous abandonner à la *Presencia*, avoir la certitude que le courant nous porte, comme la branche sur la rivière. C'est le moyen que nous avons tous d'œuvrer dans la réalité des causes. »

Le moine écoutait, silencieux et attentif. Le luthier reprit :

« Le Christ vivait en étroite et constante union avec le Père, dans la *Presencia* ! Il nous mentionne d'ailleurs que c'était le Père qui, à travers lui, accomplissait les merveilles que les Évangiles relatent. Et quelles merveilles ! Des guérisons, des matérialisations et même des résurrections ! Et la parole du Christ la plus extraordinaire est celle où il nous assure que nous pouvons accomplir les mêmes choses que lui, et même plus ! C'est cette phrase qui a tout déclenché pour moi. Je me suis dit que le Christ n'aurait pas menti, ou ne se serait pas trompé, sur un point aussi capital. »

Le luthier déposa la Bible sur la table, près de lui. Il s'inclina vers le moine et reprit :

« Le Christ nous fait aussi une recommandation de la plus haute importance : "cherchez d'abord le royaume de Dieu" ou, si tu préfères, connectez-vous d'abord à la *Presencia*. La *Presencia* est toujours là, *padre* ! Nous baignons en elle constamment, mais nous avons oublié comment nous y connecter. Nous avons fermé le circuit. »

En disant cela, le luthier avait étiré le bras jusqu'à la lampe, qu'il éteignit. La noirceur enveloppa la pièce.

« Puisque j'ai coupé le contact, que j'ai fermé le circuit, l'électricité ne passe plus. La lampe n'éclaire plus. Pourtant, l'électricité est toujours disponible. »

D'un geste des doigts, il ouvrit de nouveau l'interrupteur et la lumière revint.

« Dès que je permets à l'électricité de passer dans le circuit, la lumière jaillit instantanément. C'est une image un peu grossière, mais elle permet de visualiser le processus.

– Dès que tu entres dans le royaume, ou que tu te connectes à la *Presencia*, tout devient possible… renchérit le moine, signifiant au luthier qu'il saisissait ses explications.

– *Exacto, padre* ! Tu vois, le royaume n'est pas un lieu où nous nous rendons à notre mort, mais bel et bien un état d'être auquel il nous est possible d'accéder ici et maintenant ou dans la dimension de l'après-vie.

– Tout cela semble tellement incroyable, Manuelo, tellement *impossible*. »

Le luthier interrompit le moine :

« Voilà un mot qu'il te faudra bannir de ton esprit. Rien n'est *impossible*. Tout est *possible* à celui qui croit, rappelle-toi ! »

Le moine hésitait entre la confusion et l'exaltation.

« Pourquoi n'a-t-on jamais appris à l'humanité à considérer la vie de cette façon ?

– De tout temps, des êtres ont atteint ce niveau de conscience, et ils ont transmis leur expérience aux gens de leur époque. Les textes des grandes religions relatent l'existence et l'enseignement de certains d'entre eux. D'autres sont restés inconnus. Mais nous avons toujours eu des instructeurs sans avoir su les écouter ni les comprendre. Au fil des ans, et ce, dans toutes les religions, un système de pouvoir et de gestion s'est instauré, ce qui a eu pour effet de détourner les gens des véritables enseignements.

– Veux-tu dire, Manuelo, que nous avons induit les gens en erreur ?

– Pas exactement, *padre*. Tu sais, les *leaders* religieux ont fait ce que nous leur avons permis de faire, comme tout bon gouvernement d'ailleurs. Il est trop facile de ne rejeter le blâme que sur eux. Chacun de nous doit se responsabiliser. Nous avons remis notre évolution spirituelle entre les mains des dirigeants religieux parce que, inconsciemment, cela nous évitait de devenir adultes spirituellement. C'est un marché qui a toujours satisfait les deux parties jusqu'ici.

– Adultes spirituellement ? s'étonna le moine.

– *Si* ! Les humains sont encore, du moins pour la majorité d'entre eux, des enfants sur le plan spirituel. Les religions font office de parents qui guident, dictent la conduite et sévissent. Et comme tous bons enfants, ces êtres n'osent pas remettre en question l'autorité parentale. Leurs parents, ou leur religion, si tu veux, sont les meilleurs, évidemment. Certains autres humains en sont à l'adolescence spirituelle. Suivant ce que nous savons des adolescents, ils se rebiffent et se révoltent contre les parents, donc contre les religions, et principalement celles qui les ont éduqués spirituellement. À l'instar de l'adolescent physique, l'adolescent spirituel critique l'ordre établi, veut changer le monde et se tient en groupe. Cela crée le phénomène de "gangs", que l'on retrouve aussi dans le domaine spirituel : des groupements naissent, des sectes se forment, des enseignements différents voient le jour. Tout cela est normal. Ça s'inscrit dans un processus d'évolution.

– Sauf que l'adolescent est appelé à devenir adulte un jour… constata le moine.

– Tout à fait, *padre*. L'adolescent doit devenir adulte un jour, c'est-à-dire décider lui-même de ses choix et les assumer, subvenir à ses besoins, bref, devenir autonome et ne plus dépendre des parents, ce qui ne veut pas dire, cependant, être en guerre contre eux. C'est la prochaine étape pour beaucoup d'humains actuellement : devenir adultes spirituellement.

– Alors, les religions ne seront plus nécessaires ? s'inquiéta le moine.

– Il y aura encore très longtemps des enfants qui auront besoin de parents », répondit sagement le luthier.

Le moine s'efforçait de rassembler ses idées.

« Il faudrait au moins réajuster le rôle des religions ! déclara-t-il.

– Tu as tout à fait raison, *padre*. Le rôle des religions doit être de conduire l'être humain de l'enfance spirituelle à la maturité spirituelle, comme le parent avec son enfant ! Mais l'être, lui aussi, a à réévaluer sa place dans la grande famille spirituelle. Veut-il demeurer un éternel enfant ? Se perd-il dans la révolte de l'adolescence ? Ou bien craint-il de devenir adulte ? Car une fois adulte, l'être ne doit plus dépendre d'une religion. Il doit lui-même explorer sa propre voie vers Dieu. »

Le moine était affaissé dans le fauteuil, pensif et dérouté. Toutes ses conceptions du monde religieux s'ébranlaient, s'écroulaient même. Le luthier le devina et en déduisit qu'il valait mieux mettre fin à cette discussion.

« J'ai beaucoup parlé, *padre*. Ta tasse est pleine. Il te faut boire tout cela afin que l'on puisse de nouveau la remplir. *Buenas noches, padre*. »

– Bonne nuit à toi, Manuelo. »

Le luthier se leva et allait quitter la pièce lorsqu'il se retourna et demanda au moine :

« Et toi, *padre*, où en es-tu dans ton évolution ? Es-tu encore un enfant ou bien souhaites-tu devenir adulte ? »

Il sortit de la pièce sans attendre la réponse, sachant qu'elle ne viendrait pas aussi facilement. Le moine demeura seul un instant, l'esprit agité. Où en est-il ? Où Maria dirait-elle qu'il se trouve ? Il avait un peu honte. Honte de l'amour qu'il ressentait pour Maria et honte de taire cet amour. Il avait honte de n'être qu'un enfant spirituel alors qu'il croyait être au-dessus des autres.

Tant de choses qu'il lui fallait apprendre, et surtout, tant d'autres qu'il lui fallait désapprendre !

Il se leva à son tour et sortit de la bibliothèque. À sa grande surprise, il croisa le père Carlos, qui lui adressa un regard sévère. Avait-il entendu la conversation que le luthier et lui venaient d'avoir ? Il frémit en pensant aux conséquences. Mais il tenta de se rassurer. Sans doute avait-il croisé le prêtre par hasard. Le sommeil le gagnant de plus en plus, il monta à sa chambre et se coucha.

Cette nuit-là, le moine eut le sommeil agité. Un rêve étrange le laissa éveillé au petit matin. Il s'y voyait enfant dans une soutane trop petite pour lui et escaladant une falaise. Tout en haut, le luthier lui prodiguait des conseils et l'encourageait à le rejoindre. Mais au sol, le père Carlos lui ordonnait de redescendre. Il s'immobilisa, paralysé par le doute, en proie à la peur de tomber. Il vit une branche près de lui… il l'agrippa, mais elle céda et il se sentit tomber dans le vide, la branche à la main. « Maria ! » cria-t-il en sursaut, comme un appel à l'aide.

# Chapitre 9

*« Le silence est la voix de Dieu.*
*Et en plusieurs occasions,*
*c'est la voix la plus forte. »*

Au petit matin, le moine descendit à la salle à manger pour le petit-déjeuner. Le prêtre y mangeait déjà, mais le luthier était absent.

« Sûrement déjà dans le jardin », pensa le moine au sujet du luthier.

À son grand étonnement, le prêtre entama la conversation, lui qui prenait toujours ses repas en silence.

« Père Alexis, vous faites une grave erreur.

– De quoi parlez-vous donc, père Carlos ? » répondit le moine, simulant l'ignorance.

Le prêtre prit le temps d'avaler sa bouchée avant de répondre.

« En laissant cet homme vous égarer sur les chemins du Mal, si besoin est de vous le préciser !

– Vous parlez de Manuelo ? J'admets qu'il est un peu étrange, mais tout de même ! ricana le moine pour déjouer le prêtre. Il est tout à fait inoffensif, croyez-moi, ajouta-t-il.

– Ses propos d'hier soir n'avaient rien d'inoffensif... »

Le moine se sentit coincé. Ses soupçons de la veille se confirmaient.

« ... et vous sembliez les approuver », poursuivit le prêtre.

Le moine garda le silence, ne sachant s'il devait se défendre ou tout avouer en se repentant. Le déchirement s'installait en lui : deux mondes s'y affrontaient !

« Il serait grand temps de réagir, père Alexis. Vous pourriez avoir de graves embêtements si l'évêché apprenait que vous abritez un excommunié de l'Église ! » ajouta le prêtre.

Surpris, le moine voulut en savoir plus.

« Quoi ?! Qu'est-ce que vous dites ?

– J'ai mené ma petite enquête sur ce Manuelo. Il appert qu'il fut prêtre, il y a plus de vingt ans. Il fut reconnu coupable d'hérésie, de refus d'obéissance et de magie noire. Devant son refus de se repentir, l'Église n'eut d'autre choix que de l'excommunier. »

Le moine était estomaqué. Tout cela n'était sans doute que des mensonges inventés pour le détourner du luthier, du moins cherchait-il à s'en convaincre.

« Prenez garde que cela ne vous arrive, père Alexis ! Je vous aurai prévenu ! »

Sur cette mise en garde, le prêtre se leva et quitta la pièce. Le moine avala difficilement quelques bouchées. Il repoussa son assiette et quitta la table.

Un sentiment de colère envers le luthier l'envahissait. Il passa par la cuisine où Flore nettoyait la vaisselle. Il déposa son assiette et ses ustensiles brusquement.

« Eh bien, que dites-vous de cela ?... Il semble que nous hébergeons un imposteur... un hérétique... », interrogea-t-il Flore autant que lui-même.

Flore n'avait pas relevé la tête et poursuivait ses occupations ménagères. Le moine l'observa quelques instants, puis soupira :

« À quoi bon vous embêter avec mes problèmes... »

Il allait quitter la pièce lorsque Flore l'interpella :

« *Padre* ? »

Il se retourna et la regarda, silencieux.

# *Chapitre 9*

« *Padre*, reprit-elle en le fixant dans les yeux, descendez en votre cœur. »

Étonné, le moine incita la femme à poursuivre.

« Que voulez-vous dire, Flore ?

– *Padre*, je ne suis qu'une simple femme dévouée envers l'Église et Dieu. Je ne sais rien des mystères de la vie et de la foi, mais j'ai appris que parfois la raison est une mauvaise conseillère, que c'est par notre cœur que Dieu nous parle. Et lorsque je dois affronter des choix ou des doutes, c'est là que je trouve les réponses », dit-elle en posant sa main sur son cœur.

Le moine l'écoutait, intéressé et surpris.

« Je sais les tourments qui vous affligent, reprit-elle, et je crois que les réponses se trouvent aussi dans votre cœur. »

Le moine fixa la femme. Habituellement si réservée et silencieuse, elle lui avait dévoilé une facette intime d'elle-même dans le seul but de l'aider. Il en fut touché. Sa colère se dissipa quelque peu et son esprit s'apaisa. Il lui semblait que Dieu lui avait parlé par l'entremise de Flore. Il avait toujours cru que les gens simples se laissaient plus facilement toucher par Dieu. L'intervention de Flore en était une preuve.

« Je crois que Dieu ne vous oblige à rien, ajouta Flore. Et il n'est surtout pas contre l'amour ! »

La dernière remarque de Flore fit sursauter le moine qui voulut feindre l'ignorance une fois de plus.

« Que… que voulez-vous dire ?

– Ces choses-là n'échappent pas à une femme d'expérience comme moi. Je suis persuadée qu'une femme a fait naître l'amour en votre cœur.

– Et si cela était vrai, qu'en penseriez-vous ?

– Que c'est là une grande nouvelle et un grand bonheur.

– Vous ne me jugeriez pas ?

– Vous juger pour quoi ? Parce que vous aimez ? Allons donc ! »

Flore rit de bon cœur, amusée de l'air déconfit du moine. Ce dernier resta coi devant l'intervention de Flore. Il sentait bien que nier serait inutile. Cette femme peu loquace et discrète avait percé son secret et ne le jugeait pas. Il en ressentait un grand soulagement.

« Descendez dans votre cœur, *padre*, simplement, lui dit-elle, le sortant de ses réflexions.

– Je m'en souviendrai, Flore, *gracias*.

– *De nada, padre.* »

Il sortit et se rendit au jardin. Il y trouva le luthier, en méditation, les yeux clos, assis sur l'herbe à la façon d'un bouddha, face au soleil naissant. Le moine prit soin de se faire discret. Il s'installa un peu en retrait, de telle sorte qu'il puisse voir le visage du luthier.

Il avait peine à croire ce que le père Carlos lui avait raconté au sujet du luthier. Manuelo... un ex-prêtre... ? Accusé d'hérésie en plus... ? Était-ce possible ? Peut-être bien... Après tout, que savait-on de lui... de son passé ? Était-il temps de réagir, de revenir aux doctrines et lois de l'Église ? Après tout, il avait vécu ainsi durant bien des années, il s'y sentait en sécurité. Était-ce raisonnable d'écouter ainsi ce luthier ?... Raisonnable ?... Voilà que la raison reprenait encore le dessus ! Était-il raisonnable aussi d'aimer Maria ? Il vivait hors de la raison depuis un certain temps déjà. Mais si le père Carlos le dénonçait auprès de l'évêque, cela pourrait signifier son expulsion de Bogota... et peut-être que les conséquences seraient encore plus graves... Il frissonna en repensant à son rêve de la nuit précédente. Puis, les paroles de Flore lui revinrent comme une brise sur son esprit agité. Ballotté entre le cœur et la raison, il observait toujours le luthier.

Il émanait une telle sérénité et un tel calme de cet homme que le moine ne pouvait s'empêcher de faire le rapprochement avec quelques saints de l'Église. Il retrouvait, chez le luthier, le sourire angélique et mystérieux de Thérèse de Lisieux, la confiance de François d'Assise, la douceur du pape Jean XXIII et même l'amour de la Vierge Marie. Peut-être tous ces grands personnages avaient-ils trouvé le royaume, ou s'étaient-ils reliés à la *Presencia*, comme le dirait si bien Manuelo. Malgré sa grande simplicité, le luthier était-il de la trempe de tous ces saints de l'Église ? Avait-il percé le voile de l'illusion humaine et atteint l'illumination, ou n'était-il qu'un charlatan le détournant de sa foi ?

« *Buenos dias, padre.* »

La salutation du luthier surprit le moine dans ses réflexions.

« *Buenos dias*, Manuelo. Comment savais-tu que j'étais là ? » demanda-t-il, intrigué par le fait que le luthier ne s'était pas encore ouvert les yeux et n'avait même pas tourné sa tête vers lui.

Le luthier éclata de rire.

« Le parfum de ta mousse à barbe se reconnaît facilement, *padre* », lui répondit le luthier tout en s'étirant et en se tournant vers le moine.

Le moine sourit légèrement, mais son cœur n'était pas à la rigolade.

« Manuelo, je crains que l'on ait des ennuis… »

Le luthier l'écouta sans parler.

« Le père Carlos a mené une enquête sur toi. Tu sais ce qu'il a découvert ? »

Impassible, le luthier observa le moine en silence.

« Il a découvert que tu es un ex-prêtre, excommunié par surcroît ! Dis-moi que ce n'est pas vrai, Manuelo… »

Le luthier ne dit rien et se contenta d'écouter le moine. Ce dernier démontra de l'impatience.

« Mais enfin, Manuelo, réponds-moi ! L'hérésie… le refus de se repentir… c'est vrai, tout ça ?… Mais parle, bon sang ! Défends-toi de ces accusations ! »

Le luthier demeura calme.

« Le silence est la voix de Dieu, dit-il. Et en plusieurs occasions, c'est la voix la plus forte.

– Tu aurais pu au moins m'en parler, non ? L'hérésie est une accusation grave !

– Cela aurait-il changé quelque chose ? Dans la *Presencia*, il n'est plus nécessaire de lutter ni de participer au jeu du pouvoir et de la domination. Les paroles et les accusations de quiconque ne changent rien à ce que je suis aujourd'hui. »

Le moine s'était ressaisi, mais il demeurait inquiet, voire troublé. Si les autorités de l'Église apprenaient qu'il avait invité un excommunié à résider au presbytère, elles ne le toléreraient pas. Il serait surveillé, assurément, et on pourrait découvrir sa liaison avec Maria et l'obliger à choisir. Il ne pourrait jamais choisir entre l'Église et Maria.

Le luthier ajouta :

« Il arrive que la voie choisie par l'adulte pour la poursuite de son cheminement déplaise aux parents. Je n'y peux rien. »

Le moine finit par approuver d'un signe de la tête.

« Tu as peut-être raison, mais tout cela ne laisse présager rien de bon, crois-moi. »

Le luthier se contenta de sourire. Il ne cédait visiblement pas à la crainte.

« Ils t'ont même accusé de magie noire ! » ajouta le moine.

Amusé de l'accusation, le luthier secoua la tête légèrement en souriant.

# Chapitre 9

« Ils ont toujours eu le sens de l'exagération. Et puis, tu les connais, ils veulent garder le monopole des miracles. »

Les paroles du luthier et son calme rassuraient le moine, qui résolut de ne pas tenir compte des accusations du père Carlos ni de ses menaces. Il était fasciné par le luthier. Cet homme à l'allure modeste, si déroutante, s'avérait un être profondément spirituel, ne craignant pas de se retrouver à contre-courant de l'opinion populaire et de celle de l'autorité. Lui, aurait-il ce courage ? Pour l'instant, il en doutait. Certes, les paroles du luthier trouvaient écho en son cœur et lui apportaient une meilleure compréhension de la vie spirituelle. Du même coup, elles exigeaient de lui une telle transformation qu'il ne jurait de rien. Il reprenait cent fois l'exercice de la branche à l'eau, ce qui l'aidait à lâcher prise, à dénouer quelques retenues et à conserver un esprit ouvert. Cependant, le concept de la *Presencia* lui semblait si inaccessible. Toute sa vie, on lui avait répété qu'il était pécheur et que le royaume ne se mériterait qu'à sa mort… Mais voilà qu'un homme simple, si peu différent au fond, lui parle d'un royaume ouvert à tous, maintenant ! Qui pouvait bien avoir raison… ? Depuis sa rencontre avec le luthier, et encore plus depuis sa conversation avec le jeune prêtre, il luttait encore plus fortement contre un douloureux sentiment de trahison envers l'Église, qu'il avait pourtant servie si fidèlement jusqu'ici. S'était-il trompé toute sa vie ? Était-il encore à l'enfance spirituelle ? Et Maria dans tout cela ? Avait-il le droit de l'aimer ? En étant au sein de l'Église, quel amour pouvait-il lui offrir ? De brèves parenthèses dans la course de leur vie si différente ? Il savait que cela ne comblait pas Maria, pas plus qu'il n'en était satisfait lui-même. Tant dans sa vie personnelle que spirituelle, il se sentait dans une voie sans issue.

Le moine, perdu dans ses pensées, avait oublié pendant un instant le luthier qui l'observait avec compassion. Sans doute ressentait-il l'angoisse du moine. Ce dernier se sentit encouragé à la confidence.

« Manuelo, je me sens si déchiré. J'ai l'impression de renier tout ce que fut ma vie jusqu'ici.

– Tu n'as pas à renier ton passé, *padre*. Tout ce que tu as vécu t'a préparé à la transformation que tu vis aujourd'hui. Cette transformation n'aurait pu se faire auparavant ni autrement. Cependant, elle ne doit pas être retenue. »

Le luthier se leva et invita le moine à le suivre au fond du jardin. Ils s'arrêtèrent devant un petit arbre fruitier.

« Vois la leçon que cet arbre nous fournit », dit le luthier.

Le moine regarda l'arbre sans trop saisir, une fois de plus, le message. Le luthier expliqua :

« Regarde chacun de ces bourgeons. Ils doivent patiemment se laisser mûrir afin de devenir ce qu'ils doivent être : des fruits. Si le bourgeon désire trop rapidement l'éclosion, il forcera sa propre maturation, et le fruit qu'il donnera sera moins savoureux. Par contre, si le bourgeon craint l'éclosion, il se compressera, retiendra toute l'Essence qui cherche à jaillir de lui. Il en résultera un fruit plus petit. Le bourgeon doit donc patiemment laisser la vie le transformer afin d'offrir le plus beau fruit. Durant sa maturation, le bourgeon aura parfois été trop chauffé par le soleil, ballotté par le vent ou inondé par la pluie. Mais il sait, par la sagesse de la nature, que les éléments, tour à tour, l'auront aussi mûri, débarrassé des insectes et nourri. Il ne renie rien, car tout aura contribué à sa maturation. »

Le luthier fit une pause tandis que le moine promenait son regard sur les différents bourgeons dans l'arbre.

« *Padre*, reprit le luthier, le destin de l'homme est semblable à celui du bourgeon. Il devient l'expression de l'Essence qui coule en lui. Il doit exprimer la Vie qui l'habite. Il doit porter des fruits. Je dirais même qu'il doit être un fruit de Dieu pour le délice de tous. Cela dit, pour y parvenir, il doit accepter de se laisser transformer, tout comme le bourgeon dans l'arbre. Et il ne doit pas chercher à être un autre fruit. Il doit respecter sa propre nature et être ce qu'il est. »

Le moine demeurait silencieux et étonné, charmé par la simplicité et la profondeur de l'enseignement du luthier. Ce dernier reprit :

# Chapitre 9

« Prends ton temps, *padre*. Tu es un bourgeon qui, bientôt, sera un fruit pour l'humanité. Sois patient, et surtout ne renie pas ta croissance. Rappelle-toi que le fruit était d'abord un bourgeon. »

Le moine fixait les bourgeons, perdu dans ses pensées. Il craignait son éclosion, sa propre transformation. Pourtant, il la sentait imminente, mais il ne pouvait se décider à la choisir véritablement. Comment choisir entre la sécurité de l'Église et le vide d'une démission ? Comment choisir entre son serment et son amour pour Maria ? Maria… il voulait en parler avec le luthier, mais il hésitait. Le luthier en savait-il autant sur l'amour que sur la vie spirituelle ?

Il voulut aborder la question.

« Manuelo, as-tu déjà aimé ? Je veux dire, as-tu déjà aimé en tant qu'homme ?

– Tu veux savoir si j'ai déjà été amoureux d'une autre personne ?

– Oui… dit le moine, un peu gêné de son indiscrétion et du sujet de la discussion, l'as-tu déjà été ?

– Mais bien sûr ! Qui peut dire ne jamais avoir été amoureux ? Et d'ailleurs, c'est l'une des raisons pour lesquelles je ne fais plus partie de l'Église.

– Je croyais que l'Église t'avait excommunié pour tes convictions et tes actions contraires à la foi catholique…

– C'est la raison qu'ils ont bien voulu faire circuler à mon sujet. Mais ce que le père Carlos ne t'a pas dit, c'est que bien avant qu'ils m'aient accusé d'hérésie et de magie noire, j'avais déjà démissionné parce que j'aimais une femme et que je voulais vivre avec elle. Je ne leur ai pas permis de m'indiquer la sortie, même s'ils le laissent croire. J'ai choisi de partir de mon propre chef.

– Tu parles de cette femme au passé… Serait-elle…

– Elle est morte, oui. Elle est décédée dans un accident de bus, ce dernier étant tombé au creux d'un ravin. Elle était en route pour visiter sa mère. Notre enfant était avec elle. Il n'y a eu aucun survivant. »

Le moine se sentit désolé pour le luthier. La peine que cet homme avait dû vivre dépassait tout ce que le moine pouvait imaginer. Il n'avait qu'à penser à Maria et à la douleur qu'il ressentirait en la perdant.

« Comment s'appelle-t-elle ? » demanda soudainement le luthier, à la surprise du moine.

– Euh... Qui ?... Que veux-tu dire ?

– Allons, tu peux me le dire. Tu ne m'aurais pas posé cette question si tu n'avais pas été toi-même amoureux de quelqu'un.

– Maria... elle s'appelle Maria.

– Et tu l'aimes ?

– Oh ! Si tu savais à quel point, répondit le moine sur un ton joyeux.

– Et tu te sens coupable par rapport à l'Église ?

– Tellement... tellement. J'ai peur d'avoir à choisir entre elle et Dieu !

– L'amour vient toujours de Dieu. Tu n'as pas à choisir entre cette femme et Dieu. Ce n'est qu'une seule Essence, rappelle-toi. Dieu te rejoint par l'amour de cette femme et tu t'en approches en aimant cette femme.

– Mais j'ai tout de même prêté serment, non ?

– *Si*, mais envers l'Église. Dieu ne te demande aucun serment, aucune promesse. Il te demande de vivre, de vivre pleinement, d'être heureux, d'expérimenter sa présence jusque dans la plus infime particule de matière. Tu confonds Dieu et la religion. Libère-toi de cette étroitesse d'esprit. Vois au-delà des rôles et des conventions.

Le moine était abasourdi par ce qu'il venait d'entendre et d'apprendre sur le luthier. Ainsi, Manuelo avait lui aussi connu l'amour. Il avait choisi de vivre cet amour. Il avait eu le courage que lui n'avait pas encore.

# *Chapitre 9*

Le luthier entoura l'épaule du moine de son bras.

« Et maintenant, que dirais-tu de poursuivre la fabrication de ta guitare, hum ?

– Eh bien… j'ignore ce qui m'attend à chacune des étapes de cette fabrication, mais puisque ma branche est à l'eau, aussi bien la laisser flotter ! »

Les deux hommes échangèrent un sourire complice et s'installèrent à l'atelier de fortune aménagé par le luthier.

Ils travaillèrent toute la matinée, et même tard dans l'après-midi, à la fabrication du caisson de la guitare. Le luthier avait préparé les pièces auparavant, de sorte que leur travail consistait en l'assemblage et en la solidification de ces pièces. Ce travail demandait toutefois beaucoup de temps et de minutie.

Après plusieurs heures de travail, ils avaient en main le caisson de résonance de la guitare, prêt à recevoir le manche que le moine avait déjà fabriqué.

Le luthier prit le manche d'une main et les clés métalliques de l'autre. À ses pieds était déposé le caisson fraîchement terminé.

« Le caisson de résonance symbolise l'intellect humain, expliqua le luthier. Tout comme le caisson, l'intellect agit à la façon d'un amplificateur. Mais le caisson ne peut produire seul les différents sons d'une guitare. Son rôle est de résonner, non de créer les sons. »

Le luthier désigna le manche dans sa main droite.

« Le manche, poursuivit-il, représente l'âme. C'est le manche qui permet de créer et de diversifier les sons, ce qui donne ainsi vie à des mélodies. C'est sur le manche que se font les accords musicaux qui seront amplifiés par le caisson. Tu vois, l'âme est cette partie de l'homme qui crée la beauté et la diversité de l'être. C'est à l'âme que revient le rôle de définir ce que l'intellect propagera. »

Puis, il montra au moine les clés métalliques qu'il tenait dans sa main gauche.

« Ça, ce sont les clés que nous installerons au bout du manche et auxquelles nous attacherons les cordes. Les clés représentent l'Esprit supérieur de l'être humain, ce que certains penseurs contemporains ont désigné par les termes *Grand Moi*. Les clés permettent l'harmonie ; elles accordent la guitare selon un ton juste. C'est le rôle de l'Esprit supérieur de l'homme de s'accorder avec le ton juste de la Vie, de s'harmoniser avec la *Presencia*, si tu préfères. C'est cette partie de l'être qui permet à l'âme de créer des sons justes, et à l'intellect de les propager avec justesse également. »

Le moine appréciait l'analogie entre les composantes de la guitare et celles de l'homme. Il avait suivi l'explication avec beaucoup d'intérêt.

« Et les cordes ? demanda-t-il.

– Ah, les cordes… Elles représentent le lien qui doit s'établir entre les trois parties fondamentales de la guitare… ou de l'homme ! L'intellect, l'âme et l'Esprit supérieur doivent s'aligner sur un seul but, sur une même intention. Sans les cordes, les trois parties de la guitare sont inutiles, elles ne produisent aucun son. De la même façon, sans le lien symbolisé par les cordes, les trois composantes fondamentales de l'homme ne produisent rien de valable. Chacune de ces composantes ne peut agir adéquatement seule. C'est uniquement lorsqu'elles sont réunies et bien alignées qu'elles donnent toute la pleine dimension à l'être humain ! »

Le moine était heureux de bien saisir la leçon et, du même coup, amusé de l'habileté de Manuelo à simplifier des connaissances profondes.

« Ça parle au diable ! dit-il en ricanant.

– Non, ça parle à Dieu ! corrigea le luthier dans un large sourire. Car dès que tous les éléments de la guitare sont réunis, nous avons alors un véritable instrument. Et le guitariste, c'est Dieu ! L'être humain se doit d'harmoniser toutes ses composantes afin de devenir un instrument juste, entre les mains de Dieu. Alors, nous n'avons plus qu'à le laisser jouer les plus merveilleuses mélodies dans notre vie. Et, crois-moi, Dieu est un véritable virtuose de la guitare! »

Le moine réfléchit quelques instants puis conclut:

« Notre rôle premier consisterait donc à prendre conscience de nos composantes et de les utiliser adéquatement afin d'être un instrument parfait entre les mains de Dieu...!

– Et voilà! Nous devons être des instruments de la Vie. Le plus difficile est d'amener l'Esprit supérieur à s'ajuster au ton divin.

– Avec ce que je vois de l'humanité de nos jours, je dirais que nous nous contentons, du moins la plupart d'entre nous, d'être des caissons de résonance. »

Le luthier s'amusa de la remarque du moine.

« C'est une façon un peu singulière de décrire la situation, mais j'admets que tu as raison, *padre*. »

Ils rangèrent leurs outils et les composantes de la guitare.

« Demain, nous rassemblerons toutes les pièces de la guitare. Pour l'instant, je te propose la *siesta*! »

Le moine accepta la proposition avec plaisir.

« C'est une excellente idée, Manuelo. J'avoue avoir besoin de dormir sur tout ça. »

# Chapitre 10

*« Au-delà des religions,*
*et derrière chacune d'elles,*
*il n'y a qu'une seule*
*et même source : Dieu ! »*

Après le repas, le moine et le luthier sortirent du presbytère sous le regard hostile du jeune prêtre. Le moine s'inquiétait de la réaction du père Carlos. Cependant, il avait résolu de ne pas tenir compte du passé du luthier. Il ne tenait même plus à savoir si tout ce qu'on lui avait raconté était vrai ou non, mais il doutait que le prêtre abandonne aussi facilement sa proie.

Le moine et le luthier s'assirent sur un banc du parc en face de l'église. Comme toujours, à Bogota, le soleil était disparu tôt derrière les montagnes, mais la nuit était douce en ce mois d'octobre. L'été colombien débuterait bientôt. Aussi, les belles journées étaient de plus en plus nombreuses et les nuits, de moins en moins froides et humides.

Le luthier était calme et serein, mais le moine était assailli par un cortège de pensées et d'interrogations qui défilaient inlassablement.

« Manuelo ?

– *Si, padre* ?

– Je crois que mon caisson de résonance s'agite ! »

Le luthier sourit.

« Alors, il faut satisfaire cet intellect afin qu'il se calme. Qu'y a-t-il, *padre* ? »

Le moine se racla la gorge. Après quelques instants de réflexion, il se confia :

« Eh bien, vois-tu, Manuelo, j'ai passé les trente dernières années de ma vie à professer ma religion. Je l'ai aimée et respectée. Je l'ai enseignée et défendue. Aujourd'hui, je me demande si cela a servi à quelque chose. Toutes ces années... ont-elles été inutiles? Cette religion, est-elle inutile?

– Ne crois pas cela, *padre*. »

Le luthier fit un signe de la tête en direction d'un jeune couple et de leur enfant de sept ou huit ans, assis à l'autre extrémité du parc, dans la pénombre.

« Tu vois cet enfant? demanda-t-il au moine qui lui répondit affirmativement. Si tu lui remettais une guitare, crois-tu qu'il pourrait en jouer? Non, évidemment. Il lui faudrait apprendre une méthode afin de manier son instrument, s'exercer à cette méthode sous la supervision d'un ou de plusieurs professeurs, jusqu'à ce qu'il maîtrise son instrument. Par la suite, la méthode devient de moins en moins nécessaire. L'enfant peut dorénavant inventer des mélodies et explorer d'autres styles musicaux, d'autres méthodes. »

Le luthier fit une pause tandis que le moine observait l'enfant au loin.

« Il en va de même pour l'âme, reprit le luthier. Il est préférable qu'elle apprenne une méthode pour approcher Dieu et l'approfondir. Les religions sont ces méthodes, tout simplement. »

Le luthier sentit le besoin de préciser:

« Le drame survient lorsque l'enfant s'accroche à sa méthode une fois qu'il a acquis la maîtrise de son instrument. Cela bloque l'élan créateur et emprisonne l'enfant dans sa méthode qui, pourtant, l'avait si bien servi jusque-là. Peut-être alors refusera-t-il de considérer les autres méthodes. C'est le danger qui guette la majorité des gens engagés dans une voie religieuse particulière.

– Mais dis-moi, Manuelo... n'y a-t-il pas une religion plus près de la Vérité?

# Chapitre 10

– La tienne, sans doute ? » rétorqua le luthier.

Le moine était visiblement embarrassé. Il avait toujours cru, effectivement, que sa religion était la meilleure, du moins la plus près de Dieu. La répartie du luthier le confondait.

« Reviens à la guitare, *padre*. N'y a-t-il pas plusieurs façons d'en jouer ?

– Tu veux dire plusieurs styles ?

– *Si, si, padre,* plusieurs styles… »

Le moine se frotta le menton en tentant de répertorier le plus de styles possible.

« Eh bien, il y a le style classique…

– Le style flamenco… enchaîna le luthier.

– Hum, hum, et le style country, et ce que l'on peut appeler le style populaire… et même le style rock !

– … et le style tzigane ! compléta le luthier.

– Ça en fait plusieurs déjà, conclut le moine.

– Et dis-moi, *padre*, peux-tu prétendre qu'un style soit supérieur aux autres ? Qu'un style soit plus près de la musique que les autres ? »

Le moine secoua la tête lentement.

« Bien sûr que non, avoua-t-il à voix basse.

– Tous les styles se valent, poursuivit le luthier, mais selon la région où nous sommes, ou nos préférences, ou les enseignants que nous avons côtoyés, nous opterons pour un style en particulier, mais rien ne nous empêche d'apprécier, et même d'étudier ou de pratiquer les autres styles. »

Le luthier marqua une pause pour permettre à ses paroles de bien résonner à l'intérieur du moine. Puis, il conclut :

« Les religions sont à l'image des méthodes de guitare. Rappelle-toi toujours qu'au-delà des styles, et derrière chacun d'eux, il n'y a qu'une seule et même chose : la musique !

– … Au-delà des religions, et derrière chacune d'elles, il n'y a qu'une seule et même source : Dieu ! enchaîna le moine, signifiant au luthier qu'il saisissait le message.

– *Perfecto, padre* ! Le fruit mûrit vite. Bientôt, il pourra être cueilli ! »

Le luthier se leva, salua le moine et rentra au presbytère. Le moine resta encore quelques instants à observer le jeune enfant jouer avec ses parents. Puis, il rentra au presbytère.

Il s'endormit avec un sentiment de confiance. L'enseignement de Manuelo portait des fruits. Il lui semblait voir la lumière poindre au bout de sa nuit spirituelle. Il se voyait déjà transmettre, à son tour, les connaissances du luthier : à ses paroissiens, à ses amis, à ceux qui le visitaient parfois, à Maria, à Flore… au père Carlos même… et pourquoi pas à l'évêque ! Au fond, ils ne pourraient pas ignorer ces éclaircissements sur le royaume et sur l'enseignement du Christ. Les menaces, les accusations, le pouvoir… tout cela lui semblait loin derrière désormais. Tout lui apparaissait si évident qu'il crut en avoir fini de son épreuve.

La journée suivante, le luthier et le moine travaillèrent à la fabrication de la guitare dans une atmosphère de joie et de légèreté, jusqu'au début de l'après-midi. Puis, comme il le faisait souvent, le luthier quitta le presbytère sans dire où il allait. Intrigué plus que jamais, le moine le suivit discrètement. Après une heure ou presque de marche dans les rues de la ville, le moine se retrouva au cœur d'un bidonville peu rassurant. Il espérait que sa tunique et sa croix au cou le prémunissent contre les dangers. Bientôt, il oublia ses peurs en observant le luthier entouré d'une bande de jeunes enfants. Il était là, au milieu d'eux, à leur parler. Les enfants écoutaient. Puis, le luthier attrapa une guitare qu'un enfant lui tendit et, après avoir ajusté les cordes, il se mit à en jouer comme jamais le moine avait entendu quelqu'un jouer de la guitare. Une maîtrise parfaite, une coordination impeccable, mais, surtout, le luthier semblait en transe, il semblait ne faire qu'un avec son instrument. Et les enfants chantaient et dansaient. Le moine se mit à pleurer tant la scène était touchante et belle à la fois. Il comprit ce que le luthier voulait dire en parlant des semences dont il devait s'occuper. Il parlait des enfants. Lui qui avait perdu son unique enfant, il partageait son temps, son art et ses connaissances avec des enfants défavorisés. Le moine n'avait plus aucun doute. Le luthier était un être hors de l'ordinaire, un être bon. Les accusations et les ragots de l'Église à son sujet lui semblaient bien futiles et mesquins. Le moine observa la scène encore quelques instants, puis il quitta ce quartier pauvre et regagna le presbytère, laissant le luthier dans la plénitude de sa séance musicale, entouré des enfants.

La journée avait été merveilleuse et riche en compréhension. Cependant, le lendemain, les choses allaient changer.

# Chapitre 11

*« Lorsque le fruit est mûr,*
*il doit quitter la branche. »*

Lorsqu'il descendit pour le petit-déjeuner, une surprise attendait le moine. À sa place habituelle, une enveloppe était déposée. Le moine s'assit et jeta un coup d'œil au prêtre qui terminait son repas. Ce dernier ne leva pas les yeux et ne démontra aucune émotion, comme s'il ignorait totalement la présence du moine.

Le moine prit l'enveloppe et l'ouvrit tandis que Flore lui apportait son assiette.

« *Buenos dias, padre* Alexis.

– *Buenos dias,* Flore… *gracias.* »

Le moine lut en silence la missive que contenait l'enveloppe. C'était une convocation au bureau de l'évêque du diocèse de Bogota, le jour même, à dix heures. Le moine jeta un regard à sa montre pour constater qu'il n'avait que deux heures pour se préparer et se rendre à ladite convocation.

L'atmosphère froide des derniers jours au presbytère et sa conversation avec le père Carlos laissaient présager de mauvaises nouvelles.

Dès son petit-déjeuner terminé, le moine se rendit au jardin où il trouva le luthier affairé à contempler où il en était rendu avec la fabrication de la guitare.

« Ce que je craignais est arrivé, Manuelo, lança-t-il.

– Matthieu 10,23, répondit le luthier.

– Quoi ?!

– "Ce que j'ai craint m'est arrivé..." C'est dans l'Évangile de Matthieu, verset 10,23. Tu n'as jamais lu ce verset ?

– Bien sûr que si, mais pour l'instant je n'ai guère le temps de considérer le sens de cette phrase.

– Pourtant, il y a là une grande vérité : la peur est une énergie qui attire à nous l'objet même de notre peur. »

Le moine accorda peu d'attention à l'explication du luthier.

« Manuelo, je suis convoqué au diocèse, ce matin. Nous avons des problèmes. »

Le luthier ne répondit pas et poursuivit son travail. Le moine, énervé par la convocation, s'exaspéra de l'apparente indifférence du luthier.

« Manuelo, reprit-il sur un ton nerveux, tu ne comprends donc pas ? Ils exigeront sûrement ton départ, et peut-être même le mien !

– Rien ne justifie de perdre son calme, déclara doucement le luthier en poursuivant son travail. Va à la convocation. Ensuite, nous verrons. Si je dois partir, je partirai. De toute façon, la guitare est presque terminée et le fruit sera bientôt mûr. »

Le luthier n'avait pas levé les yeux de son occupation. Aucune nervosité ne se percevait dans sa voix ni dans ses gestes. Anxieux, le moine tourna les talons et quitta le jardin.

Il téléphona secrètement à Maria pour lui annoncer sa convocation et lui faire part de son angoisse. Comme elle savait si bien le faire, elle l'écouta et tenta de le rassurer. Mais, au fond d'elle-même, elle avait la certitude que la Vie était en train d'opérer pour le bien de tous.

Le moine arriva au diocèse quelques minutes avant dix heures. Il se félicita intérieurement d'être parti tôt. La circulation lourde de Bogota avait ralenti l'allure du taxi. Si l'évêque devait être en colère contre lui, mieux valait ne pas aggraver la situation par un retard.

# Chapitre 11

Il présenta sa lettre de convocation au gardien qui lui ouvrit la porte grillagée. À la réception, on l'informa que l'évêque l'attendait à son bureau. Le moine gravit l'escalier, le cœur serré et la gorge nouée. Il frappa à la porte du bureau.

« Entrez », entendit-il.

Il ouvrit et referma derrière lui. En se retournant, il fut estomaqué d'apercevoir le prêtre du presbytère, debout, aux côtés de l'évêque assis à son pupitre.

« Prenez place, je vous prie. »

Le moine s'exécuta tout en jetant un bref regard au père Carlos, qui le fixait sévèrement.

L'évêque observa en silence le moine durant quelques minutes, ce qui ajouta à l'anxiété de ce dernier. L'évêque se décida enfin à entamer la rencontre.

« Père Alexis, je suppose que vous connaissez la raison de votre présence ici, ce matin. »

Embarrassé, le moine feignit maladroitement l'ignorance.

« Je l'ignore, monseigneur. »

– Vous l'ignorez ? reprit l'évêque sur un ton sarcastique. Ne jouez pas ce jeu avec moi ; j'en ai vu d'autres, vous savez. »

Le moine n'ajouta rien, sentant sa situation déjà très précaire. L'évêque se redressa et s'accouda à son pupitre en soutenant toujours le regard du moine.

« Puisque vous choisissez obstinément le silence, père Alexis, permettez-moi de vous rafraîchir la mémoire, qui me semble bien courte d'ailleurs ! »

L'évêque se recala dans son fauteuil luxueux et joignit ses mains sous son menton.

« Sans aucune autorisation ni aucune vérification, vous avez introduit un étranger dans le presbytère de Santa Barbara. Cela est une première faute grave, mais non la moindre…

– Vous m'en voyez désolé, s'excusa le moine, mais je ne croyais pas commettre une faute en invitant un ami au presbytère pour quelques jours. »

Le moine tentait de minimiser la présence du luthier au presbytère, mais l'évêque avait une tout autre opinion.

« Un ami, dites-vous ? Vous avez des relations peu recommandables, père Alexis ! Ce luthier n'est qu'un imposteur, un excommunié de l'Église ! »

Le moine voulut prendre la défense du luthier.

« Écoutez, cet homme est…

– NON, l'interrompit sèchement l'évêque. C'est vous qui allez écouter ! »

Le moine se tut, intimidé par le ton sévère de l'évêque qui reprit la parole.

« Nous avons jusqu'ici apprécié votre œuvre missionnaire au sein de notre diocèse, même si votre action n'a jamais été des plus traditionnelles. Nous avons épongé quelques écarts de conduite de votre part. Mais nous étions loin de douter de votre foi en l'Église. Heureusement, la vigilance et la loyauté du père Carlos nous ont permis de vous découvrir sous votre véritable jour. »

L'évêque se tut, l'instant d'un regard de satisfaction vers le prêtre qui se tenait debout, immobile et silencieux, mais sans doute enivré de la fierté du devoir accompli.

« Le père Carlos, reprit l'évêque, a surpris plusieurs de vos conversations avec ce luthier, et il nous en a fait part. »

Le ton de l'évêque se durcit :

# Chapitre 11

« Êtes-vous conscient, père Alexis, que vous avez écouté et approuvé des propos hérétiques ? Que vous avez vous-même tenu de tels propos ? Des propos qui vont à l'encontre de l'Église ! Elle qui vous a accueilli et nourri depuis votre jeunesse ! Réalisez-vous la gravité de votre faute ? De votre trahison ? De plus, des rumeurs circulent à votre sujet concernant une certaine relation que vous entretiendriez avec une femme. Si cela est juste, votre faute est d'autant plus sérieuse. »

L'évêque martelait le moine de questions et de reproches. Le moine glissait lentement dans la confusion. La confiance qu'il avait développée envers le luthier s'effritait de plus en plus. L'évêque sentait le moine fléchir. Il y vit l'occasion de poser ses exigences.

« Père Alexis, au nom des droits que cette Église me confère, je vous ordonne, dans un premier temps, de chasser ce charlatan du presbytère et de mettre vos paroissiens en garde contre cet imposteur. »

Le moine recevait sa sentence la tête basse, ballotté entre le sentiment de trahison et le désir de liberté. L'évêque poursuivit :

« Puis, je vous ordonne de confesser publiquement vos errances. Cela vous fera peut-être retrouver l'humilité que vous avez perdue. »

En plus de le punir, le moine découvrait avec dégoût que l'on souhaitait l'humilier et le couvrir de honte. L'évêque ne lui laissa aucun répit :

« Enfin, vous comprendrez que nous ne pouvons vous permettre de demeurer au sein de notre diocèse. Vous n'êtes plus le bienvenu ici ! Votre communauté au Canada est déjà informée de votre conduite et de votre retour prochain. »

Le moine semblait de plus en plus confus. Le voilà jugé indésirable, lui qui avait l'impression de s'être entièrement dévoué à l'Église depuis tant d'années. Lui qui était prêt à sacrifier l'amour de sa vie pour l'Église ! Et puis, de quels crimes l'accusait-on ? D'avoir exploré d'autres approches de la vie divine ? De s'être ouvert à l'universalité ? N'était-ce pas une preuve d'amour inconditionnel envers Dieu que de ne plus le considérer comme le monopole d'une seule religion ? Ce luthier, que l'on qualifiait d'hérétique, n'était-il pas plus serein et plus fraternel que tous ceux qu'il avait croisés jusqu'ici dans l'Église ? Combien de prêtres du diocèse allaient dans les favelas pour parler avec les enfants défavorisés ? Il semblait au moine que le luthier se rapprochait davantage des enseignements et de la vie du Christ que tous les bonzes de l'Église.

L'évêque le sortit de ses réflexions pour l'anéantir encore plus.

« Mon devoir consiste également à aviser Rome de votre conduite et de vos propos hérétiques. Ce sera au Saint-Père de vous juger et de décider de votre avenir au sein de l'Église… »

Le moine écoutait, stupéfait, alors que des bribes de l'Évangile lui revenaient en mémoire : « Ne jugez point afin de ne pas être jugés à votre tour […] »

« Toutefois, dit l'évêque, je vous accorde une chance de salut. J'ai préparé une lettre d'aveu en votre nom, dans laquelle vous demandez pardon, tout en reniant le malin qui vous a piégé et en jurant de vous abstenir de toute action contraire à l'Église. »

L'évêque tendit une feuille au moine.

« Signez cette lettre ! » lui ordonna-t-il.

Une lutte faisait rage dans l'esprit et le cœur du moine. Il ne pouvait nier tout ce qu'il avait vécu et appris auprès du luthier. Il ne pouvait renier non plus l'amour envers Maria. La condamnation de l'évêque lui semblait injuste et la peine, cruelle. Pourquoi ne pouvait-on pas partager des points de vue différents et en sortir grandi dans sa propre foi ? Il comprit rapidement qu'il se trouvait devant un choix ultime : refuser ce que l'évêque lui ordonnait, ce qui signifiait sans doute être rejeté de cette Église qu'il avait tant aimée, ou étouffer ce que le luthier lui avait permis de voir et de comprendre, ce qui équivalait à une mort intérieure.

# Chapitre 11

L'évêque le pressait de signer la lettre. Le prêtre Carlos le fixait encore plus sévèrement.

« Mais, qu'attendez-vous, malheureux? Signez! C'est votre seule chance de salut! »

Le moine soutint les regards de l'évêque et du prêtre. Il y plongea intensément et n'y rencontra que pouvoir, domination et intimidation. Il ferma les yeux et descendit en son cœur. Le visage souriant du luthier lui apparut. Ses yeux dégageaient amour et compassion. Il entendit sa voix en lui: « Lorsque le fruit est mûr, il doit quitter la branche. »

Puis, le visage serein du luthier s'effaça lentement, remplacé par le visage tendre et doux de la belle Maria. Il lui sembla l'entendre murmurer dans sa tête: « Comment Dieu pourrait-il être contre l'amour? »

Le moine rouvrit les yeux et vit de nouveau les deux représentants de l'Église en colère. Il se détendit quelque peu et poussa un grand soupir. La pression qu'on lui faisait subir depuis le début de l'entrevue se dissipa. Il sourit et dit sur un ton calme:

« Le fruit est mûr! Il quitte la branche!

– Quoi?! Mais que racontez-vous donc?! Êtes-vous devenu cinglé? »

Le moine se leva, déchira la lettre d'aveu et laissa tomber les bouts de papier sur le bureau de l'évêque, maintenant rouge de colère.

« Insensé! cria l'évêque. Vous serez banni de l'Église! Je vous jure que l'on vous excommuniera et que vous irez brûler en enfer avec ce luthier de malheur. Allez au diable! »

Le moine sourit doucement.

« Non, je vais à Dieu. »

Cette dernière réplique fit littéralement exploser la colère de l'évêque. Mais, déjà, le moine avait quitté le bureau. Il sortit du diocèse sans se retourner. À sa grande surprise, Maria l'attendait de l'autre côté du grillage. Il s'arrêta un instant, la regarda intensément puis lui sourit en lui tendant les bras. Maria courut s'y réfugier en pleurant de joie.

« Tu es venue à ma rencontre ?

– *Mi amor*, je savais intérieurement ce qui t'attendait, je voulais t'accueillir à ta délivrance ! »

Se sentant plus léger que jamais, plus heureux qu'il ne l'avait jamais été, le moine se mit à rire aux éclats en faisant tournoyer la femme de sa vie dans ses bras et en criant à qui voulait bien l'entendre :

« J'aime cette femme ! Écoutez-moi tous… J'aime cette femme merveilleuse… »

Maria riait elle aussi aux éclats tout en embrassant sans cesse son amoureux.

Il avait rarement fait aussi beau à Bogota que cette journée-là !

Enlacés, ils marchèrent dans les rues de la ville sans but précis.

Un sentiment nouveau était né chez le moine. Un sentiment de liberté et d'autonomie. La lumière était revenue en son cœur ; la nuit intérieure était terminée. Il était maître de ses choix, libre d'aimer Maria à la vue de tous. Il venait d'être chassé de l'Église, et pourtant, il ne s'était jamais senti aussi près de Dieu. Le paradoxe l'amusa et le fit sourire. Il ne ressentait aucune rancœur vis-à-vis de l'évêque ni aucun ressentiment envers le père Carlos qui l'avait dénoncé. Il venait de remporter l'ultime épreuve. Il réalisait ses premiers pas d'adulte spirituel.

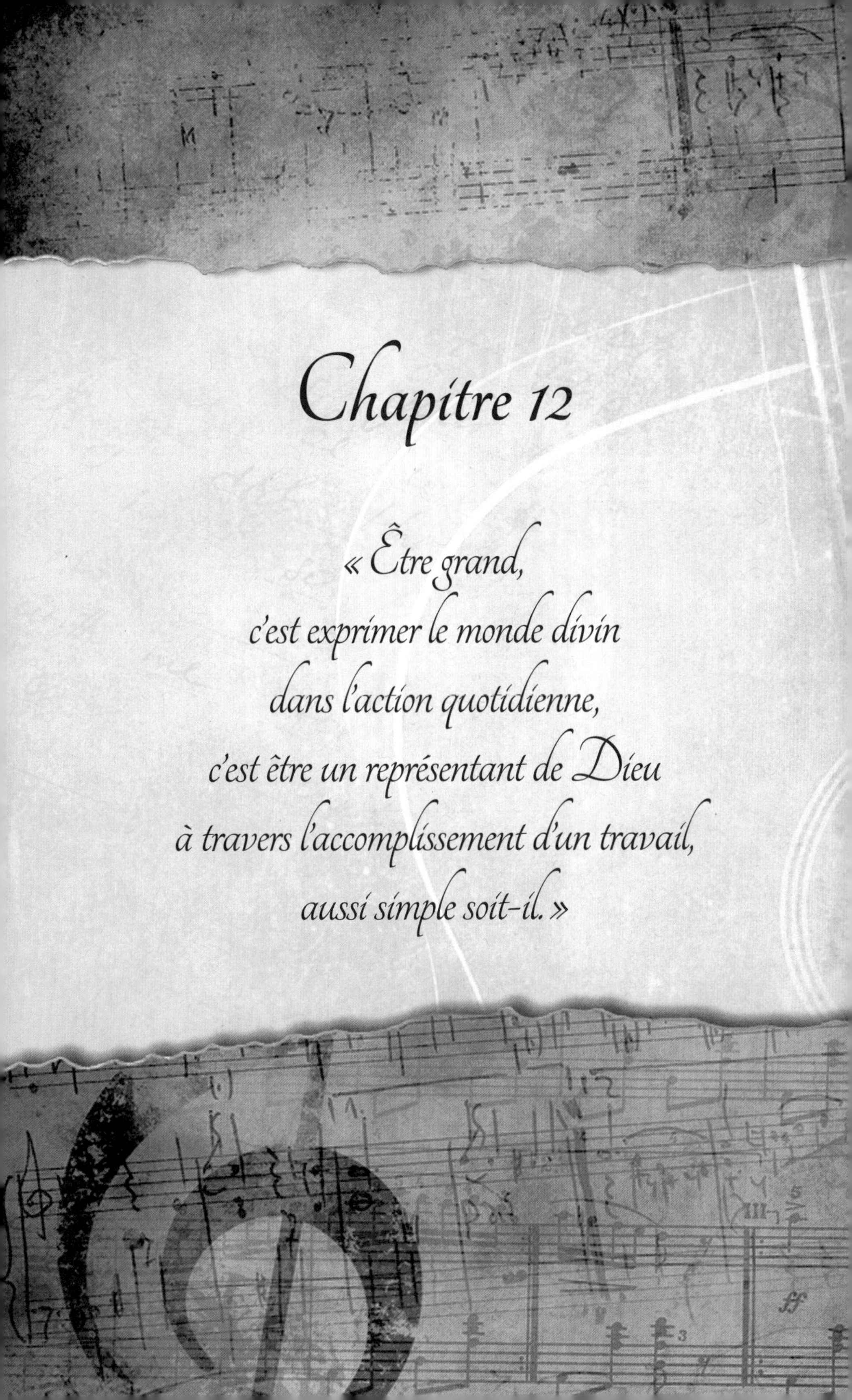

# Chapitre 12

« Être grand,
c'est exprimer le monde divin
dans l'action quotidienne,
c'est être un représentant de Dieu
à travers l'accomplissement d'un travail,
aussi simple soit-il. »

Le moine était rentré très tard dans la soirée au presbytère. Les émotions de la journée lui avaient dérobé plusieurs heures de sommeil, de sorte qu'il était resté au lit plus tard dans la matinée.

À son réveil, il avait trié ses effets personnels qui se résumaient à peu de choses : une Bible, quelques vêtements, sa tunique de moine à laquelle il tenait beaucoup, sa croix de bois et quelques effets d'hygiène personnelle. Il avait rangé le tout dans une seule valise.

Sous sa porte, une lettre avait été glissée. C'était l'avis officiel de l'évêché, l'expulsant du diocèse et lui signifiant que son dossier serait transmis à Rome pour l'approbation de son expulsion de l'Église.

« Eh bien ! Ils ne perdent pas de temps », pensa-t-il.

Sur le coup de midi, il descendit au jardin. L'atelier de Manuelo n'y était plus, mais une magnifique guitare était suspendue au toit de la galerie. Sa guitare !

« La dernière couche de vernis finit de sécher. N'y touche pas tout de suite », entendit le moine.

Il se retourna et vit Manuelo, souriant et calme, assis sur l'herbe près de la véranda.

« Manuelo… elle est… elle est magnifique ! Vraiment magnifique ! Comment as-tu pu la terminer aussi rapidement ?

– Oh, disons qu'hier fut une bonne journée de travail. Et puis, je n'avais pas sommeil la nuit dernière.

– Toi non plus ? »

Le moine s'assit près du luthier.

« Manuelo… l'évêque demande mon expulsion de l'Église… Je vais être excommunié, je crois bien !

– Eh bien, nous serons deux ! »

Ils échangèrent un sourire complice.

« Qui aurait dit qu'un jour, je serais chassé de l'Église ! ? soupira le moine.

– Tu l'as un peu choisi, non ?

– Tu as raison, mais tout de même, je me sens un peu drôle.

– Tu en es triste ?

– Non, pas vraiment. Leur jugement m'apparaît bien sévère. Disons que ce fut pénible de dénouer l'impasse et de faire mon choix. En quelques minutes seulement, j'ai balayé trente ans de ma vie pour plonger vers l'inconnu.

– C'est le moment ou jamais d'être comme la branche dans la rivière. En fait, tu es cette branche maintenant. Tu as touché l'eau et tu as coulé, croyant être submergé pour toujours. Mais, lentement, tu refais surface. Abandonne-toi à ce courant, *padre*. »

Le moine approuva d'un signe de la tête.

« Je crois que j'y parviendrai, Manuelo. J'ai encore quelques retenues, mais je m'efforce de lâcher prise.

– Ne force rien, *padre*. Tu désires lâcher prise ? Eh bien, sois le lâcher-prise ! »

Le moine accepta le conseil. Il réfléchit quelques instants.

« Manuelo, comment se relie-t-on à la *Presencia* ? Comment puis-je atteindre cet état ?

# Chapitre 12

– En premier lieu, il te faudra toujours être comme la branche sur la rivière. Sans retenue, sans attache, sans attente ; porté seulement par le courant, par la *Presencia*. C'est l'abandon complet à Dieu, ne l'oublie jamais. »

Le moine avait déjà compris cela et il incita le luthier à poursuivre.

« Puis, il te faudra entraîner ta conscience à constamment être submergée de la *Presencia*. Ce ne sera pas aussi simple que tu peux le croire, car c'est dans les actes de tous les jours que tu devras t'y exercer. Si tu cultives le sens du sacré, comme je te l'ai enseigné, cela t'aidera à y parvenir. Retiens bien ceci : insuffle l'éternité dans la simplicité des actions ordinaires. »

Le moine acquiesça, attentif à l'ultime leçon du luthier.

« Ainsi, reprit ce dernier, tu accorderas ton intellect, ton âme et ton Esprit supérieur à la *Presencia*.

– Je vois, répondit le moine.

– Mais il y a plus…

– Ah oui ?! »

Le luthier se déplaça légèrement pour bien regarder le moine dans les yeux.

« Chaque être humain vient sur terre avec une *mission*. Mais ne te méprends pas sur ce terme. Bien sûr, parfois, il peut s'agir d'une œuvre grandiose. Cependant, le plus souvent, la mission n'est qu'un travail tout simple. En fait, la mission ne consiste pas vraiment en la nature du travail, mais bien dans la façon de l'exécuter ! Il faut l'accomplir comme Dieu le ferait, en y appliquant les qualités et les vertus les plus élevées que tu puisses exprimer. Tu réalises alors ton Grand but. »

Le moine suivait avec beaucoup d'intérêt l'enseignement du luthier. Ce dernier se sentit encouragé à poursuivre.

« La première étape consiste donc à découvrir ta mission, ce pour quoi tu es venu sur la terre.

– Ce n'est pas si simple, avoue-le.

– J'en conviens. Notre société moderne, axée sur la performance et la consommation, ne favorise pas la découverte de ce Grand but. Toutefois, il y a des indices qui ne mentent pas : ce que tu aimes vraiment faire, tes passions, ce qui te procure du plaisir, ce en quoi tu excelles et qui te fait perdre la notion du temps lorsque tu t'y consacres, ou encore ce que tu ressens fortement à l'intérieur de toi. »

Le moine repassait les indices dans sa tête. Le luthier lui accordait le temps nécessaire à sa réflexion. Au bout de quelques minutes, le moine exprima son Grand but :

« J'ai déjà réfléchi à tout cela, Manuelo, principalement depuis hier. Et je crois que mon Grant but est d'être moine, d'enseigner Dieu, d'en parler et de l'exprimer.

– Bien, enchaîna le luthier. Lorsque tu identifies ton Grand but, tu dois mettre tout ton cœur à le réaliser, car là sera ton véritable bonheur. Cependant, tu dois le réaliser d'une manière divine, du mieux que tu peux, de la façon la plus élevée et la plus parfaite que tu puisses imaginer. Alors, tu deviens un Grand !

– Un Grand ? interrogea le moine.

– *Exacto, padre* ! Si ton Grand but est d'être moine, alors il te faut vivre comme un Grand moine, comme un moine de Dieu. Si c'est être un paysan qui laboure le sol et y fait germer des semences, alors il faut être un Grand paysan. Si c'est être un médecin, alors sois un Grand médecin. Être Grand, c'est exprimer le monde divin dans l'action quotidienne, c'est être un représentant de Dieu à travers l'accomplissement d'un travail, aussi simple soit-il. Je te le dis, *padre*, il vaut mieux être un Grand balayeur de rues qu'un juge ordinaire, car en étant un Grand, ou du moins en t'appliquant à le devenir, tu crées inévitablement le lien avec la *Presencia*, et les portes du royaume s'ouvrent ! »

# Chapitre 12

Le moine avait écouté le luthier avec approbation et attention.

« Manuelo ?

– *Si, padre* ?

– Tu es un Grand luthier ! »

Le luthier sourit timidement.

« *Gracias, padre.* »

Puis, le visage du moine s'assombrit.

« Manuelo, je crois sincèrement que mon Grand but est d'être moine, mais je viens d'être chassé de l'Église... Comment puis-je être moine dorénavant ? »

Le luthier comprit l'angoisse du moine. Pouvait-il être moine sans être lié à l'Église, ou à une Église quelconque !? Le luthier entoura le moine de son bras.

« *Padre*, jusqu'ici, tu fus un moine. Dorénavant, tu seras un Grand moine ! Et un Grand moine est forcément un adulte spirituel qui n'a plus besoin d'être relié à ses parents par le cordon ombilical. Ce n'est pas l'Église qui te donnait le don d'être moine ; elle t'en donnait le titre tout au plus. C'est de Dieu que te viennent ces aptitudes, et Dieu est toujours avec toi. Rappelle-toi qu'au-delà des religions, il y a un seul et même Dieu. Je te le dis, *padre*, tu seras dorénavant un Grand moine. »

Le moine sourit timidement à son tour.

« J'espère y parvenir !

– Tu y parviendras ! Tout est possible à celui qui croit, n'oublie pas ! »

Le moine acquiesça et éprouva un profond sentiment de gratitude envers le luthier.

« Manuelo... comment te remercier ? Tu as transformé ma vie ! Tu m'as tiré de ma nuit spirituelle ! De plus, j'ai une superbe guitare...

– Nous avions un marché, non ? Tu m'as nourri et hébergé durant ces quelques jours. Remercie plutôt la *Presencia*. C'est par elle que nous nous sommes rencontrés. Moi, je n'ai fait que te donner ce que je fais de mieux. Je n'ai été que ce que je dois être : un Grand luthier.

– Et maintenant, où iras-tu ? demanda le moine.

– Pour l'instant, je n'en ai aucune idée. Je ressens fortement le désir d'aller plus au sud du pays. Alors, je vais suivre ce sentiment. Et toi ? »

Le moine échappa un long soupir.

« Je n'en ai aucune idée, moi non plus. Je vais rester en Colombie, que cela déplaise ou non à l'évêque. Je sens que c'est ici que je dois œuvrer. Avec le temps, je me suis épris de l'Amérique du Sud. Et il y a Maria, bien sûr. Je veux vivre pleinement cet amour. Je veux m'établir avec elle, peut-être aussi voyager avec elle. Nous n'en avons pas encore parlé, elle et moi, mais nous avons tellement de temps à rattraper que je vais la rejoindre dès ce soir. »

Le luthier approuva. Le moine le regarda d'un air moqueur.

« S'il est possible, dit-il, à un luthier itinérant de vivre et d'être utile, je crois que ça peut être également possible à un moine itinérant ! »

Les deux hommes échangèrent un sourire. Puis, le luthier serra la main du moine et lui fit l'accolade.

« Il est temps que je parte, annonça-t-il. Le fruit est mûr maintenant. »

Le moine sentait sa gorge se nouer.

« Allons-nous nous revoir, Manuelo ? »

Le luthier haussa les épaules.

« La *Presencia* souffle où elle veut. Si elle nous pousse un jour dans la même direction, je serais heureux de te retrouver, *padre*.

– Je le serai aussi, Manuelo.

– *Adios, padre* !

– *Adios*, Manuelo. »

Le luthier s'éloigna. Le moine l'interpella :

« Manuelo, as-tu besoin de quelque chose ? As-tu un peu d'argent au moins ?

– Je n'en ai pas besoin. J'ai la *Presencia*, j'ai tout !

– Oui…bien sûr », répondit le moine en souriant.

Le luthier passa par sa chambre, récupéra ses effets personnels puis quitta le presbytère.

Le soir même, le moine en avait fait autant et il s'endormit dans les bras de Maria, prêt à vivre l'aube de sa nouvelle vie.

# Épilogue

Si vous voyagez en Colombie, ou même en d'autres pays sud-américains, sans doute entendrez-vous parler d'un Grand luthier itinérant, le meilleur de tous, et d'un Grand moine itinérant, le meilleur de tous.

Peut-être même aurez-vous le bonheur de rencontrer l'un ou l'autre, ou les deux à la fois, si la *Presencia* vous conduit vers eux, et si, bien sûr, vous savez sentir ce souffle précieux de la *Presencia*.

Mais, peut-être aussi aurez-vous la joie de rencontrer un Grand, là où vous êtes. Un Grand musicien… un Grand dirigeant… un Grand éboueur, peu importe, si ce Grand être vous inspire à devenir, à votre tour, un Grand !

C'est la grâce que je vous souhaite.

Écrit en septembre 1996, à Bogota (Colombie), à deux pas de l'église Santa Barbara.

Souvenirs d'écriture

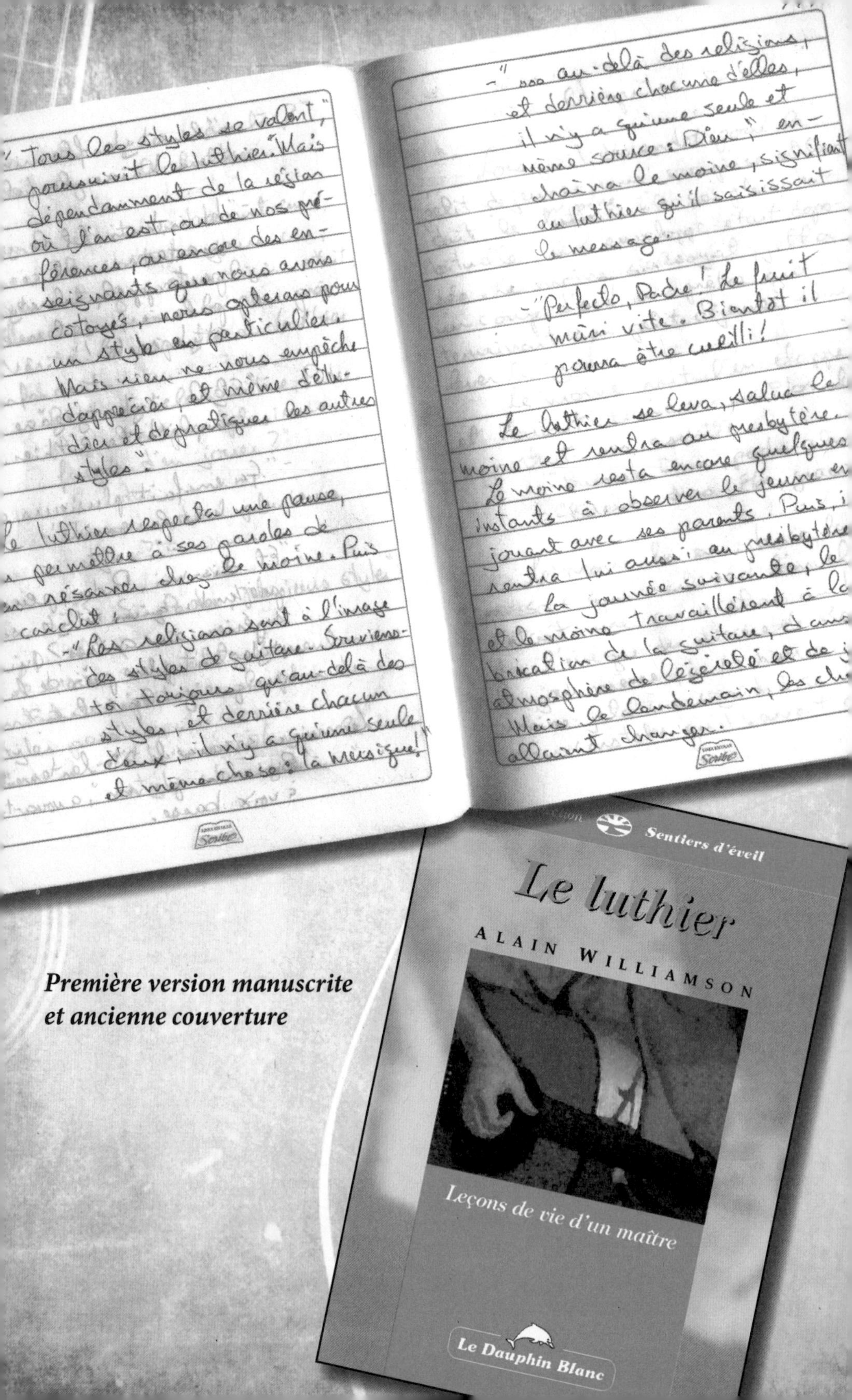


*Première version manuscrite et ancienne couverture*

*L'ambiance de l'écriture du Luthier... le bonheur familial et les promenades dans les rues de Bogota.*

*L'église Santa Barbara avec le presbytère à gauche et le parc juste en face.*

*Devant l'église Santa Barbara.*

*Sur les traces du Luthier... promenade dans le chic quartier de Santa Ana Or.*

*Le second voyage à Bogota, en 1999. Notre famille (avec nouveau bébé Anthony) au milieu des toits de tuiles ondulées. Le Luthier a définitivement pris vie lors de ce voyage.*

*Bogota... l'immense cité à la fois belle et dangereuse, berceau de mes enfants et de mon premier livre.*

Pour rejoindre l'auteur, vous êtes invité à écrire à l'adresse courriel suivante :

alainwilliamson@dauphinblanc.com

ou à l'adresse postale suivante :

Alain Williamson
Éditions Le Dauphin Blanc
825 boul. Lebourgneuf, bureau 125
Québec, Qc,
Canada G2J 0B9

Québec, Canada